臺灣歷史與文化 研究輯刊

八 編

第 12 冊

檢視清代儒學教育在臺灣
——清代臺灣儒學詩研究（下）

洪素香 著

花木蘭文化出版社

國家圖書館出版品預行編目資料

檢視清代儒學教育在臺灣——清代臺灣儒學詩研究（下）／洪
素香 著 -- 初版 -- 新北市：花木蘭文化出版社，2015〔民104〕

目 6+176 面；19×26 公分

（臺灣歷史與文化研究輯刊 八編；第 12 冊）

ISBN 978-986-404-438-2（精裝）

1. 儒學　2. 清代　3. 臺灣

733.08　　　　　　　　　　　　　　　　104015138

ISBN- 978-986-404-438-2

9 879864 044380

臺灣歷史與文化研究輯刊
八　編　第十二冊　　　　　　　ISBN：978-986-404-438-2

檢視清代儒學教育在臺灣——清代臺灣儒學詩研究（下）

作　　者　洪素香
總 編 輯　杜潔祥
副總編輯　楊嘉樂
編　　輯　許郁翎
出　　版　花木蘭文化出版社
社　　長　高小娟
聯絡地址　235 新北市中和區中安街七二號十三樓
　　　　　電話：02-2923-1455／傳眞：02-2923-1452
網　　址　http://www.huamulan.tw 信箱 hml 810518@gmail.com
印　　刷　普羅文化出版廣告事業
初　　版　2015 年 9 月
全書字數　350174 字
定　　價　八編 29 冊（精裝）台幣 58,000 元

檢視清代儒學教育在臺灣
——清代臺灣儒學詩研究（下）

洪素香　著

第五章　清代臺灣本土儒師之儒學詩

　　清代的臺灣，在宦臺儒官長期施以儒學教育下，民番不但在生活等各方面逐漸走上漢化，在知識方面更是被澈底儒學化。諸子百家中，儒家學說為學校唯一正統上課教材；科舉取士完全以儒家經典為出題範圍；詩文寫作務求模擬古聖賢口氣。久而久之，這些臺灣本土士子，無論是思想模式或是行事表現，亦無一不展現出儒家彬彬之風。他們重視家族倫理、家學傳承，熱心參與社會活動，樂以承擔家國責任等等，將儒家思想行動化，成了當時帶領臺灣社會向上、向前之一股正面力量。其中，尤其是當時由儒學出身之儒學教師，既是儒士，又是傳承儒學之儒師，他們循著當時宦臺儒官腳蹤，與宦臺儒官共同努力，繼續將儒家思想廣布於臺灣每個角落，使儒學對臺灣產生更多影響，堪為當時臺灣本土儒士之代表。

　　以上這些臺灣本土儒師之各項事蹟，今多記載於臺灣各方志史冊，他們所創作之詩文，在他們後輩子孫以及臺灣文史工作者共同努力下，今亦有集結成冊者。然而遺憾的是，由於年代久遠，加上臺灣歷經半世紀日本統治，正如連橫在《臺灣通史・自序》所說：「重以改隸之際，兵馬倥傯，檔案俱失；私家收藏，半付祝融。」大多數臺灣本土儒師之詩文，與宦臺儒官一樣，有很多僅存其目，或只剩下少數幾篇，或只留下記錄他事，而不見其與儒學教育相關議題者。

　　為此，筆者在幾經選擇之下，亦以施懿琳等人所編輯之總共拾貳冊的《全臺詩》為底本，並參佐臺銀版《臺灣文獻叢刊》、龍文版《臺灣先賢詩文集彙刊》與文听閣版《全臺文》，逐一披尋檢索，抽繹其中敘及儒學相關議題者，並挑選出具代表性之章甫等 11 位臺灣本土儒師之詩文，加以論述分析，以見他們當時對儒學之傳承，以及對清代臺灣教育發展之貢獻。

第一節　清代至福建擔任學官之臺灣本土儒師

　　清廷自康熙二十二年（1683）領臺後，即在隔年，也就是康熙二十三年（1684）同時在臺灣府、臺灣縣、鳳山縣設立縣儒學。康熙二十六年（1687），福建提督張雲翼又奏允：臺灣於閩場另編字號額中一名，於是在此年（1687）丁卯，即有鳳山附生蘇莪額中舉人，這是臺灣開科之始，代表清代開始重視臺灣教育。

　　清廷領臺之初，歲、科掄才多借力於內地漳、泉二郡，後來爲杜絕內地生員投機，保障臺籍考生權益，清廷曾多次下詔禁止非臺籍者不得隸於臺學，否則黜革治罪，地方官並一併懲處。先是雍正五年（1727），議准：「臺灣歲、科兩試，飭令該地方官查明，現住臺地置有田產入籍既定之人，取具鄰里結狀，方許送考。如有冒籍臺地入學者察出，將該地方官題參議處，本童照冒籍例治罪。至從前已經冒籍之文武諸生，限兩月內具呈自首；該地方官會同教官逐一查明，俱令改歸原籍考試。如過期不行呈首，一經發覺，黜革治罪。」

　　雍正八年（1730），延續三年前的規定，再次議准：「福建省各郡、縣冒籍生員，照臺灣改歸之例，該地方官會同教官以部文到日，限其兩月內許其自首，改歸原籍，以便就近稽察。……俟改歸後考居優等，准其與原諸生一體按名次幫補；仍照原食餼平分挨次出貢。」〔註1〕

　　乾隆二十九年（1764），又議准：「臺灣四縣，多福、興、泉、漳之人，往往指同姓在臺居住者，認爲弟姪赴考。嗣後，交該督、撫及臺灣道轉飭地方官，查明的係入籍二十年以上，並無原籍可歸者，方准考試。如有冒籍赴考，除將本童及廩保照例治罪外，地方官一併查參議處。至現在已經冒籍入學各生，照例勒限一年改歸原籍；如地方官奉行不力，該督、撫指名參處。」〔註2〕

　　由以上可知，清廷對臺灣的科舉應考生員，從雍正五年（1727）以後，在戶籍上便嚴格把關，對違規者的處分也極爲嚴厲。

　　據筆者依據劉寧顏《重修臺灣省通志・卷六・文教志・教育行政篇》之資料作統計，清代臺灣自康熙二十六年（1687）鳳山附生蘇莪額中舉人之後，

〔註1〕　見《欽定大清會典事例・卷三百九十一・禮部・學校・生童戶籍》，續修四庫全書編輯委員會編，上海古籍出版社，1995年（民84），頁243。以下本論文各章所引用此書皆爲同一版本，不再贅敘出版地、出版社與出版年。

〔註2〕　見同上，頁250。

至光緒二十一年（1895）日本割臺為止，臺灣總共有 29 位進士，大約 170 位舉人，以及大約 1200 位貢生。這些臺灣本土士子表現優異，不但在科舉方面足以與中國內地士子一較高下；而且在文學創作能力上，也毫不遜色於當時宦臺之儒官，因此他們也會被調派至內地任官，其職務包括有朝廷中央政務官、地方行政首長或學官，而其中以擔任學官者人數最多。

居於專制統治顧慮，清廷規定各級官員各有不同程度之迴避方式，舉凡京官，尚書以下，筆帖式以上，祖、孫、父、子、伯、叔、兄、弟，不得同任一署；外任官於所轄屬員有五服之族，及外姻親屬、師生，均令屬員迴避；又外任官須避原籍、寄籍，及鄰省接壤五百里以內。至於教職止避本府。而如應迴避，卻隱匿及捏飾規避者議處。〔註3〕為了清廷這個迴避政策，由臺灣府、縣、廳儒學出身的學官，也因此絕大部分被派任到福建去。直到光緒年間，才開始出現有臺灣府、縣、廳儒學出身的學官，得以留在臺灣儒學任教之情事。

以下筆者嘗試由清代臺灣各方志，以及莊金德《清代臺灣教育史料彙編》之資料中，擷取出身臺灣各府、縣、廳儒學，而被調派到福建任職之本土學官名錄，並用簡表示之如下。

簡表十六：至福建擔任學官之臺灣本土儒師

1. 教　諭

姓　名	就讀儒學	中　舉　時　間	等　別	職　稱	資　料　來　源
蒲世趾	諸羅	康熙二十八年（1689）	貢生	古田教諭	劉良璧《重修福建臺灣府志》
蔡復旦	府學	康熙三十年（1691）	貢生	閩清訓導〔註4〕陞安教諭	同上
柳夢和	府學	康熙三十四年（1695）	貢生	龍巖訓導陞沙縣教諭	同上
王際慧	鳳山附生	康熙三十五年（1696）	舉人	龍溪教諭	同上
施世榜	鳳山	康熙三十六年（1697）	拔貢	壽寧教諭授兵馬司副指揮	同上

〔註3〕　見《欽定大清會典・卷五・吏部・文選清吏司・銓政》，頁 619-74。
〔註4〕　薛紹元：《臺灣通志稿》作閩清訓導、漳平、永安教諭。

王茂立	臺灣	康熙四十四年（1705）	舉人	龍巖教諭	同上
楊阿捷	府學	康熙五十年（1711）	舉人	惠安教諭	同上
張纘緒	臺灣	康熙五十年（1711）	貢生	同安教諭	同上
洪登瀛	府學	康熙五十二年（1713）	恩貢	羅源教諭	同上
林璲	臺灣	康熙五十二年（1713）	恩貢	永福教諭	同上
莊飛鵬	府學附生	雍正四年（1726）	舉人	浦城教諭	《重修福建臺灣府志》薛紹元《臺灣通志》
石國球	臺灣縣	雍正十三年（1748）	舉人	海澄教諭	薛紹元《臺灣通志》
施廷封	不詳	乾隆二十五年（1760）	舉人	平和教諭	同上
張植華	臺灣□生	乾隆三十三年（1768）〔註5〕	舉人	永春學正	林棲鳳等《臺灣采訪冊》薛紹元《臺灣通志》
陳作霖	臺灣□生	乾隆三十九年（1774）	舉人	寧化教諭（捐陞內閣中書）〔註6〕	同上
郭旁達	府學廩生	乾隆四十八年（1783）	舉人	福安教諭	林棲鳳等《臺灣采訪冊》
石維梓	臺灣□生	乾隆五十四年（1789）	舉人	閩縣教諭安溪教諭	林棲鳳等《臺灣采訪冊》薛紹元《臺灣通志》
林師聖	臺灣	嘉慶元年（1796）	恩貢	大田教諭	林棲鳳等《臺灣采訪冊》
林芳遠	府學	嘉慶六年（1801）	拔貢	候選教諭	同上
鄭捧田〔註7〕	彰化廩生	嘉慶十二年（1807）	舉人	大田教諭	同上
陳震曜	嘉義廩生	嘉慶十五年（1810）	優貢	歷任建安，閩清，平和，惠安，同安教諭訓導	同上

〔註5〕 薛紹元：《臺灣通志稿》作乾隆三十二年。
〔註6〕 薛紹元：《臺灣通志稿》作候補內閣中書。
〔註7〕 薛紹元：《臺灣通志稿》作鄭捧日。

蘇策勳	嘉義	嘉慶十八年（1813）	拔貢	試用教諭	同上
黃本淵	府學廩生	嘉慶十八年（1813）	優貢	欽點教職〔註8〕	同上
曾作霖	彰化廩生	嘉慶二十一年（1816）	舉人	挑選教諭 閩清訓導〔註9〕	林棲鳳等《臺灣采訪冊》 薛紹元《臺灣通志》
郭成金	淡水廳廩生	嘉慶二十四年（1819）	舉人	挑選教諭 大挑教職〔註10〕	同上
許超英	淡水廳	道光二十六年（1846）	舉人	候選教諭	薛紹元《臺灣通志》
黃延祐	府學生	道光二十六年（1846）	舉人	侯官官學教諭	同上
黃延祚	淡水廳	咸豐五年（1855）	舉人	晉江學教諭	同上
吳世同	不詳	不詳	例貢	署閩清教諭	林棲鳳等《臺灣采訪冊》
陳觀國	不詳	不詳	例貢	候選教諭	同上

2. 訓　導

姓　名	就讀儒學	中舉時間	等　別	職　稱	資　料　來　源
王弼	臺灣	康熙二十八年（1689）	貢生	松溪訓導	劉良璧《重修福建臺灣府志》
馮崑玉	臺灣	康熙三十年（1691）	貢生	壽寧訓導	同上
陳逸	臺灣	康熙三十二年（1693）	貢生	福安訓導	同上
馬廷對	諸羅	康熙三十二年（1693）	貢生	南安訓導	同上
莊一煋	臺灣府	康熙三十三年（1694）	歲貢	福建延平府訓導	據《全臺詩》補
鄭莘達	臺灣	康熙三十四年（1695）	貢生	永福訓導	劉良璧《重修福建臺灣府志》
蔡邦彥	鳳山	康熙三十四年（1695）	貢生	寧洋訓導	同上

〔註8〕　黃本淵為欽點教職，因不知確定職稱，姑且植於此處。
〔註9〕　薛紹元：《臺灣通志稿》作閩清訓導。
〔註10〕　薛紹元：《臺灣通志稿》作大挑教職。

許汝舟	諸羅	康熙三十四年（1695）	貢生	壽寧訓導	同上
王日登	府學	康熙三十五年（1696）	貢生	泰寧訓導	同上
梁六善	鳳山	康熙三十六年（1697）	貢生	閩縣訓導	同上
黃元倬	府學	康熙三十七年（1698）	貢生	尤溪訓導陞尤溪教諭	同上
張銓	府學	康熙三十八年（1699）	貢生	歸化訓導	同上
張祚	鳳山	康熙三十八年（1699）	貢生	南平訓導	同上
陳道南〔註11〕	府學	康熙四十一年（1702）	貢生	長泰訓導	同上
陳尚勗	臺灣	康熙四十二年（1703）	貢生	寧洋訓導	同上
劉應羆〔註12〕	臺灣	康熙四十二年（1703）	舉人	屏南訓導	林棲鳳等《臺灣采訪冊》薛紹元《臺灣通志》
江琳	府學	康熙四十三年（1704）	貢生	莆田訓導	劉良璧《重修福建臺灣府志》
葉昕	府學	康熙四十四年（1705）	貢生	武平訓導	同上
施瑋	臺灣	康熙四十四年（1705）	貢生	侯官訓導	同上
陳誌	諸羅	康熙四十四年（1705）	貢生	福清訓導	同上
林彥瑛	府學	康熙四十五年（1706）	貢生	大田訓導	同上
顏我揚	臺灣	康熙四十六年（1707）	貢生	歸化訓導	同上
饒嗣珍	臺灣府	康熙四十六年（1707）	捐貢	大田訓導	周元文《重修臺灣府志》
林萃岡	府學	康熙四十七年（1708）	貢生	興化訓導清流訓導〔註13〕	劉良璧《重修福建臺灣府志》、薛紹元《臺灣通志》

〔註11〕 薛紹元：《臺灣通志稿》作陳導南。
〔註12〕 薛紹元：《臺灣通志稿》作劉應熊。
〔註13〕 薛紹元：《臺灣通志稿》又加清流訓導。

葉道坦	府學	康熙四十八年 （1709）	貢生	訓導	劉良璧《重修福建臺灣府志》
郭必捷	臺灣	康熙四十八年 （1709）	貢生	寧洋訓導	同上
葉光座 〔註14〕	府學	康熙四十九年 （1710）	貢生	長汀訓導	同上
張應時	府學	康熙五十年 （1711）	貢生	沙縣訓導	同上
蘇克纘	諸羅	康熙五十年 （1711）	貢生	崇安訓導	同上
許岡	府學	康熙五十一年 （1712）	貢生	泰寧訓導	同上
蔡振聲	府學	康熙五十二年 （1713）	貢生	長樂訓導	同上
蔡邦俊	府學	康熙五十四年 （1715）	貢生	長汀訓導	同上
鄭其灼	鳳山	康熙五十四年 （1715）	貢生	長泰訓導	同上
鄭隆彤	諸羅	康熙五十四年 （1715）	貢生	南平訓導	同上
許琇	諸羅	康熙五十六年 （1717）	貢生	閩清訓導	同上
陳鵬南	臺灣	康熙五十八年 （1719）	貢生	連江訓導	同上
蔡纘烈	諸羅	康熙五十八年 （1719）	貢生	光澤訓導	同上
李欽文	鳳山	康熙六十年 （1721）	貢生	南靖訓導	同上
孫文振	臺灣府	康熙？年 〔註15〕	歲貢	寧德訓導	薛紹元《臺灣通志》
張士箱	府學	雍正十年 （1732）	貢生	漳州訓導	劉良璧《重修福建臺灣府志》
施士燝	鳳山	雍正十一年 （1733）	貢生	興化訓導	同上

〔註14〕薛紹元：《臺灣通志稿》作蔡光座。
〔註15〕確定時間不詳，姑且植於此處。

吳滋燦	臺灣府	雍正？年〔註16〕	歲貢	南安訓導	薛紹元《臺灣通志》
范學洙	臺灣府	乾隆六年（1741）	歲貢	安溪訓導	同上
王化成	臺灣府	乾隆十九年（1754）	歲貢	歐寧訓導	同上
王鳳來	臺灣府	乾隆二十七年（1762）	歲貢	漳平訓導	據連橫《臺灣通史・鄉賢列傳》補
蔡鐘岳	臺灣府	乾隆二十八年（1763）	歲貢	屏南訓導	薛紹元《臺灣通志》
張源俊	臺灣府臺灣	乾隆三十二年（1767）	舉人	松溪訓導	同上
薛登科	府學	乾隆三十六年（1771）	恩貢	福州訓導	林棲鳳等《臺灣采訪冊》
董日勉	臺灣	乾隆三十六年（1771）	歲貢	以教職〔註17〕	同上
韓高翔	臺灣	乾隆五十四年（1789）	歲貢	閩縣訓導	同上
游化	臺灣	乾隆五十八年（1793）	歲貢	沙縣訓導	同上
韓必昌	臺灣	乾隆六十年（1795）	歲貢	武平訓導	同上
陳奎	臺灣府	乾隆？年〔註18〕	歲貢	平和訓導	薛紹元《臺灣通志》
劉大業	彰化	嘉慶六年（1801）	舉人	福州府訓導	同上
許廷杰	不詳	嘉慶六年（1801）	舉人	大田訓導晉江訓導〔註19〕	林棲鳳等《臺灣采訪冊》薛紹元《臺灣通志》
王三錫	彰化	嘉慶九年（1804）	舉人	泰寧訓導羅源教諭〔註20〕	同上
張維新	府學	嘉慶九年（1804）	歲貢	加捐訓導	林棲鳳等《臺灣采訪冊》

〔註16〕確定時間不詳，姑且植於此處。
〔註17〕董日勉爲加軍功以教職，因不知確定職稱，姑且植於此處。
〔註18〕確定時間不詳，姑且植於此處。
〔註19〕林棲鳳：《臺灣采訪冊》作大田訓導，薛紹元《臺灣通志稿》作晉江訓導。
〔註20〕林棲鳳：《臺灣采訪冊》作泰寧訓導，薛紹元《臺灣通志稿》作羅源教諭。

張書紳	不詳	同治四年（1865）	舉人	候選訓導	薛紹元《臺灣通志》
吳士敬	淡水廳	同治九年（1870）	舉人	候選訓導	同上
吳元之	不詳	不詳	例貢	歸化訓導	劉良璧《重修福建臺灣府志》
林廷芳	不詳	不詳	例貢	沙縣訓導	同上
李士敏	不詳	不詳	例貢	延平訓導	同上
張方高	不詳	不詳	例貢	建寧訓導	同上
王純	不詳	不詳	例貢	上杭訓導	同上
吳振經	不詳	不詳	例貢	？？訓導	同上
林其蕡	不詳	不詳	例貢	泰寧訓導	同上
饒嗣珍	不詳	康熙四十六年（1707）	例貢	大田訓導	同上
陳鳴佩	不詳	不詳	例貢	建寧，福州，連江，龍溪訓導	林棲鳳等《臺灣采訪冊》
楊有儀	不詳	不詳	例貢	署福寧訓導	同上
郭邦獻	不詳	不詳	例貢	署清流訓導	同上
韓高瑞	不詳	不詳	例貢	候選訓導	同上
蘇鳳翔	不詳	不詳	例貢	試用訓導	同上
陳文仰	不詳	不詳	例貢	候選訓導	同上
黃峻	不詳	不詳	例貢	延平訓導	同上
陳奎光	不詳	不詳	例貢	試用訓導	同上
陳啓聲	不詳	不詳	例貢	試用訓導	同上
蘇以玉	不詳	不詳	例貢	鳳山捐職訓導	同上
蘇策名	不詳	不詳	例貢	嘉義試用訓導	同上

由以上簡表所列，吾人可知清代臺灣本土士子，被清廷分派到福建擔任學官者大約共有 108 人，分別是教諭 30 人、訓導 78 人。其中絕大多數集中在康熙、乾隆時期。

當時因為清廷有所謂「迴避」政策，為官者都必須迴避自己設籍之省份；即使只是教職，也必須迴避自己設籍的本府、本縣。因此，當時不但臺灣之學官都由福建省各府、州、縣調任而來；臺灣本土儒官也必須離開臺灣，到內地福建去教學。直到光緒年間以後，才有臺籍的楊克彰等 29 人，得以留在臺灣擔任儒學學官。

第二節 清代留在臺灣擔任學官之本土儒師

據筆者根據劉寧顏《重修臺灣省通志》之資料所作分析，知道自從康熙二十六年（1687）清廷在同一年分派林謙光〔註21〕、傅廷璋〔註22〕、黃賜英〔註23〕、陳志友〔註24〕等四人到臺灣，分別擔任一府三縣之儒學教授、教諭之後，以迄光緒二十一年（1895）滿清割臺給日本為止的 208 年間，宦臺的儒學學官大約有 646 人次，而由臺灣本土府、縣、廳儒學出身的學官則只有 41 人次。又在這 41 人次當中，楊克彰有四次、王藍玉有三次，其餘郭鷃翔、李祖訓、張忠侯、李樹華、施國選、黃如許、王藍石等七人都各有兩次調任教職記載，因此實際上人數只有 29 人。而且這 29 人被清廷派任的時間，都集中在臺灣改行省後的光緒十五年（1889）以後。

以下茲以劉寧顏《重修臺灣省通志・卷八・職官志・文職表篇》為內容依據，依其書之頁碼順序，列簡表以顯示清領時期留在臺灣擔任學官的本土儒師之任教情形。

簡表十七：留在臺灣擔任學官之本土儒師

編號	姓　名	里　籍	職　　　　稱
1	楊克彰 （字信夫）	淡水人	臺南府儒學訓導。光緒元年（1875）乙亥恩貢。光緒十四年（1888）署。十六年（1890）十二月臺南訓導裁撤，改設苗栗訓導，改署苗栗訓導。（見頁68）
2	王藍玉 （字潤田）	安平人	臺北府儒學教授。祖籍福建泉州府，同治十二年（1873）癸酉舉人。光緒年間任。（見頁71）

〔註21〕 林謙光，字芝嵋、道牧（一作道收），福建長樂人。康熙十一年（1672）壬子副貢，康熙二十六年（1687），可能是由延平教授調任臺灣府儒學教授。三十年（1691），陞任浙江桐鄉知縣。見劉寧顏總纂：《重修臺灣省通志・卷八・職官志・文職表篇》，頁59。亦見臺灣各方志。

〔註22〕 傅廷璋，福建南安人。康熙八年（1669）己酉舉人，康熙二十六年（1687）由閩縣教諭調任臺灣縣儒學教諭，二十九年（1690）卒於任。見劉寧顏總纂：《重修臺灣省通志・卷八・職官志・文職表篇》，頁142。亦見臺灣各方志。

〔註23〕 黃賜英，福建晉江人。康熙二年（1663）癸卯舉人，康熙二十六年（1687）任鳳山縣儒學教諭。三十年（1691）任滿，陞任直隸樂亭知縣。見劉寧顏總纂：《重修臺灣省通志・卷八・職官志・文職表篇》，頁181。亦見臺灣各方志。

〔註24〕 陳志友，福建長樂人。康熙歲貢。康熙二十六年（1687）由建安訓導陞任諸羅縣儒學教諭。三十年（1691）任滿，陞任雲南蒙自知縣。見劉寧顏總纂：《重修臺灣省通志・卷八・職官志・文職表篇》，頁197。亦見臺灣各方志。

3	黃煥奎	彰化人	臺北府儒學教授。一作福建晉江人。咸豐九年（1859）己未恩科補行八年戊午正科舉人。光緒十七年（1891）三、四月尚在任。（瞥頁71）
4	郭鶚翔 （號鵬翼）	澎湖廳人	建省後臺灣府儒學教授。同治九年（1870）庚午舉人。光緒十五年（1889）十二月署。（見頁72）
5	楊克彰 （字信夫）	淡水人	建省後臺灣府儒學教授。光緒元年（1875）乙亥恩貢。可能是在光緒十八年（1892），由署苗栗訓導陞任。二十一年（1895）在任（或係臺灣府訓導之誤）。（見頁72）
6	李祖訓 （字恢業） （號警樵）	新竹人	建省後臺灣府儒學教授。光緒十二年（1886）丙戌補考十年甲申歲貢。光緒十九年（1893）以前以署臺灣府訓導兼署。（見頁72）
7	張忠侯 （一名贊忠）	淡水人	建省後臺灣府儒學訓導。（號思補，一作思達）祖籍福建同安。光緒五年（1879）己卯舉人。光緒十六年（1890）六月署。（見頁73）
8	李輪光	臺南府人	建省後臺灣府儒學訓導。附生，光緒十八年（1892）二月署（見頁73）
9	李祖訓 （字恢業）	新竹人	建省後臺灣府儒學訓導。號警樵。光緒十二年（1886）丙戌補考十年甲申歲貢。光緒十九年（1893）以前署。（見頁73）
10	李樹華	淡水人	臺南府安平縣儒學教諭。光緒十六年（1890）庚寅歲貢。光緒十六年（1890）以後在任。（見頁150）
11	林慶岐	彰化人	臺南府安平縣儒學教諭。光緒四年（1878）戊寅□貢（一作生員）。任期不詳。（見頁150）
12	施國選 （一名贊湯）	淡水人	臺南府鳳山縣儒學教諭。字希尹，號莘笠。同治十一年（1872）壬申歲貢。任期不詳（光緒十七年（1891）卒）。（見頁185）
13	李樹華	淡水人	臺南府鳳山縣儒學教諭。光緒十六年（1890）庚寅歲貢。任。光緒十六年（1890）以後在任。（見頁185）
14	廖春魁	淡水人	臺南府鳳山縣儒學教諭。任期不詳。（見頁185）
15	陳登元 （字君聘）	淡水人	臺南府鳳山縣儒學教諭。號心齋。進士。署。任期不詳，姑次於此。（見頁185）
16	施國選 （一名贊湯）	淡水人	臺灣府鳳山縣儒學訓導。字希尹，號莘笠。同治十一年（1872）壬申歲貢。光緒八年（1882）以前在任。待考。（見頁188）
17	吳鴻賓 （字子煜）	彰化人	臺南府鳳山縣儒學訓導。一作子煌，號秋汀、逸叟、雲生。光緒九年（1883）癸未歲貢。任期不詳（或謂出貢後「旋」任。）（見頁188）
18	陳肇芳 （字詳甫）	苗栗人	臺南府嘉義縣儒學教諭。一作崧甫。光緒八年（1882）壬寅恩貢，十年（1884）捐訓導。光緒十六年（1890）署。（見頁212）

19	黃如許 （字淦亭）	新竹人	建省後臺灣府彰化縣儒學教諭。原籍福建惠安，光緒五年（1879）己卯恩貢。署。光緒十四年（1888）以後在任。（見頁242）
20	王藍石	安平人	建省後臺灣府彰化縣儒學教諭。祖籍福建泉州府，光緒八年（1882）壬午舉人。光緒年間任。（見頁242）
21	黃濟時 （一名淮普）	澎湖廳人	建省後臺灣府彰化縣儒學教諭。字紹烈，號雲卿。光緒十五年（1889）由增生捐訓導，以勞績准先委用。光緒十九年（1893）冬以後署，二十一年（1895）在任。（見頁242）
22	翁百年 （號煌南）	嘉義人	臺北府淡水縣儒學教諭。光緒十六年（1890）庚寅增生。光緒二十年（1894）任。（見頁248）
23	蔡凌霄	嘉義人	臺北府新竹縣儒學訓導。同治六年（1867）丁卯歲貢光緒十四年（1888）六月署。（見頁251）
24	葉瑞西 （字萍香）	嘉義人	臺北府新竹縣儒學訓導。同治二年（1863）癸亥生員（一作增貢）。光緒十六年（1890）署。（見頁251）
25	藍豐年	鳳山人	臺北府新竹縣儒學訓導。增生報捐訓導。光緒十八年（1892）二月委署。（見頁251）
26	宋及鋒	鳳山人	臺北府新竹縣儒學訓導。恩貢（一作歲貢）。光緒二十年（1894）二月署。（見頁251）
27	林逢源 （字淵如）	安平人	臺北府宜蘭縣儒學訓導。光緒二十年（1894）甲午優貢。光緒二十一年（1895）正月到任，是年閏五月十一日以疾卒於任。（見頁253）
28	王藍玉 （字潤田）	安平人	臺灣府臺灣縣儒學教諭。祖籍福建泉州府，同治十二年（1873）癸酉舉人。光緒十五年（1889）十二月署。（見頁254）
29	李福如	恆春人	臺灣府臺灣縣儒學教諭。生員。光緒十六年（1890）署。二十年（1894）卸（待考）。（見頁254）
30	林鵬霄 （字世弼）	新竹縣	臺灣府臺灣縣儒學教諭。號漢侯。光緒八年（1882）壬午歲貢。光緒十七年（1891）七月署。（見頁254）
31	張忠侯 （一名贊忠）	淡水人	臺灣府臺灣縣儒學教諭。（號思補，一作思達）祖籍福建同安。光緒五年（1879）己卯舉人。光緒十九年（1893）二月署。（見頁254）
32	黃如許 （字淦亭）	新竹人	臺灣府臺灣縣儒學教諭。原籍福建惠安，光緒五年（1879）己卯恩貢。署。任期不詳。（見頁255）
33	王藍石	安平人	臺灣府臺灣縣儒學教諭。祖籍福建泉州府，光緒八年（1882）壬午舉人。以彰化教諭兼署（見頁255）

34	王藍玉 （字潤田）	安平人	臺灣府臺灣縣儒學訓導。祖籍福建泉州府，同治十二年（1873）癸酉舉人。光緒十七年（1891）正月代理。（見頁 255）
35	吳逢清 （字澂州）	新竹人	臺灣府臺灣縣儒學訓導。又字澄秋，號水田。原籍福建晉江。光緒十二年（1886）丙戌歲貢。光緒十七年（1891）署。（見頁 255）
36	郭鶚翔 （號鵬翼）	澎湖廳人	臺灣府臺灣縣儒學訓導。同治九年（1870）庚午舉人。光緒十七年（1891）由署臺灣教授調任，十月到任。（見頁 255）
37	楊克彰 （字信夫）	淡水人	臺灣府臺灣縣儒學訓導。光緒元年（1875）乙亥恩貢。由署苗栗訓導調署。（見頁 255）
38	盧宗煌	安平人	臺灣府雲林縣儒學訓導。光緒十八年（1892）七月二十二日到任理，十九年（1893）六月十七日以疾卒於任。（見頁 256）
39	楊克彰 （字信夫）	淡水人	臺灣府苗栗縣儒學訓導。光緒元年（1875）乙亥恩貢。光緒十六年（1890）十二月由臺南府訓導調署。（見頁 257）
40	蘇學海	淡水人	臺灣府苗栗縣儒學訓導。附生。光緒十九年（1893）二月署。（見頁 258）
41	葉克家	新竹人	臺灣府苗栗縣儒學訓導。譜名際昌，號壽亭。廩生。光緒二十一年（1895）署。未到任即內渡。（見頁 258）

　　根據以上簡表所示，吾人知道直到光緒年間以後，臺灣本土儒師才開始可以留在臺灣擔任學官，然而基本上說來，它與清廷的迴避政策還是符合，從楊克彰到葉克家都是迴避本府、本縣。其中李輪光以臺南府人，出任建省後臺灣府儒學訓導；〔註 25〕王藍玉以安平人，先出任臺灣府臺灣縣儒學教諭，〔註 26〕後又代理臺灣府臺灣縣儒學訓導；王藍石也以安平人，出任臺灣府臺灣縣儒學教諭。以上所述三人是比較特殊的，吾人乍看之下，他們好像在本府擔任學官，實則是因為他們之里籍，在改為行省後，已不隸屬於原來的臺灣府或臺灣縣之故。

　　雖然筆者以上統計出了或到福建省擔任學官，或留在臺灣擔任學官之臺灣本土儒師之人數，不過吾人若用這個數字，來與當時宦臺學官之人數相比較，則可以發現，兩者之間的人數差距簡直是天壤之別，可見當時臺灣本土

〔註25〕　臺灣在光緒十二年（1886）建省後，新臺灣府設在彰化橋孜圖（即今之台中市），至於舊臺灣府改稱為臺南府。見《學政全書・福建省・附載舊案》，史料六編，頁 471。

〔註26〕　安平縣即從前臺灣縣所改。見同上，頁 473。

儒師能夠受到清廷青睞，而進到官方的各府縣廳儒學去擔任學官的，畢竟是機會少之又少。再加上臺灣與內地之間遠隔重洋，有些臺灣本土儒師即使有機會可到福建省擔任學官，因爲畏於渡海之危險，寧願選擇放棄的也是大有人在。

而這些有資格擔任教師的臺灣本土儒師，他們在臺灣爲了謀生，或受聘到各地書院、私塾，或自己設帳教書。雖然不是在官方的府州縣廳學校教書，但是他們所教授給臺灣本土學生的課程內容，爲了配合學生將來參加科舉考試，因此與官方的府州縣廳儒學的課程相似。

這些臺灣本土儒師因爲身分不是學官，所以也就沒有學官三年任期之限制，也沒有職掌上的各項工作壓力，而有更多時間與精神從事教學活動與詩文創作，也因此，今日吾人所能看到之臺灣本土儒師之儒學詩，反而絕大多數出自於這些受聘在書院、私塾，或自己設帳教書之儒學教師。

第三節　臺灣本土儒師之儒學詩

臺灣本土儒士在長期接受儒學教育後，思想模式、行事表現皆有儒家彬彬之風，而其中之佼佼者在成爲儒師後，他們又以傳承儒學爲己任，而與宦臺儒官共同肩負起繼續教育臺灣士子之責任，因此他們詩作中，也有一部分與儒學教育議題相關，筆者今亦將其概述如下。

一、本土儒師之儒學詩類型概述

清代臺灣本土儒師，因著他們特殊的儒師身分，所表現出來與儒學相關議題之詩作，依筆者分析歸納，其敘述主題約可分爲世代習舉業傳家、論儒學或儒家精神、教學相關情形，以及儒師身分感懷等四種類型。

而上述這些內容之敘述，皆反映了當時臺灣本土士子之某方面現象。譬如習舉業傳家之敘述，所反映的是臺灣本土士子承襲中國傳統士子之門第家風觀念；論儒學或儒家精神，所反映的是儒學思想已深植臺灣本土士子之心；教學相關情形之敘述，所反映的是臺灣儒學教育在本地生根之狀況；儒師身分感懷，所反映的是儒士在當時之出路與社會地位問題。

以下筆者茲取章甫等十一位爲代表，以論述臺灣本土儒師儒學詩之內容與特色，姑依儒師出生前後順序排列，先列表簡介他們之生平。

簡表十八：十一位臺灣本土儒師生平簡介

儒師 ＼ 概述	出 生 地	生 年	卒 年	科 舉 名
章甫	臺灣縣人	乾隆二十五年（1760）	嘉慶二十一年（1816）	嘉慶四年（1799）歲貢
鄭用錫	淡水竹塹（今新竹市）人	乾隆五十三年（1789）	咸豐八年（1858）	道光三年（1823）進士
鄭用鑑	淡水竹塹（今新竹市）人	乾隆五十四年（1789）	同治六年（1867）	道光五年（1825）拔貢
陳維英	淡水廳大龍峒港仔墘人	嘉慶十六年（1811）	同治八年（1869）	咸豐九年（1859）中本省鄉試
施瓊芳	臺灣縣治（今臺南市）人	嘉慶二十年（1815）	同治七年（1868）	道光二十五年（1845）恩科進士
李逢時	噶瑪蘭廳（今宜蘭）城廂人	道光九年（1829）	光緒二年（1876）	咸豐十一年（1861）拔貢
李望洋	噶瑪蘭廳頭圍保頂埔庄（今宜蘭縣頭城鎮頂埔里）人	道光九年（1829）	光緒二十七年（1901）	咸豐九年（1859）鄉試中舉
黃敬	淡水關渡人	不詳	光緒十四年（1888年）	咸豐四年（1854）歲貢生
陳肇興	彰化縣治（今彰化市）人	道光十一年（1831）	同治五年（1866）	咸豐九年（1859）舉鄉試
許南英	臺灣府（今臺南市）人	咸豐五年（1855）	民國六年（1917）	光緒十六年（1890）恩科進士
施士洁	臺灣縣治（今臺南市）人	咸豐六年（1856）	民國十一年（1922）	光緒三年（1877）進士

筆者註：此表參考施懿琳《全臺詩》、文听閣版《全臺文》，以及龍文版《臺灣先賢詩
　　　　文集彙刊》之資料製作。

　　表列總計有章甫、鄭用錫、鄭用鑑、陳維英、施瓊芳、李逢時、李望洋、
黃敬〔註27〕、陳肇興、許南英、施士洁等十一位儒師。

　　以下筆者再由清代臺灣本土儒師之詩作中，披尋其中有書寫及於儒學相
關議題之詩作，並依儒師出生先後順序排列，分析其詩作，以管窺清代臺灣
本土儒師之儒學表現。下面簡表所顯示者，即爲筆者所擇取之儒師及其詩作
類型。

〔註27〕黃敬之生年不詳，筆者姑植於此。

簡表十九：十一位臺灣本土儒師儒學詩類型

儒學詩 儒師	世代以習舉業傳家	論儒學或儒家精神	教學相關情形	個人感懷
章　甫	∨	∨	∨	∨
鄭用錫	∨	∨	∨	∨
鄭用鑑		∨		
陳維英			∨	∨
施瓊芳	∨	∨	∨	
李逢時				∨
李望洋		∨		
黃　敬			∨	∨
陳肇興		∨	∨	
許南英			∨	
施士洁			∨	

二、本土儒師之儒學詩

　　本章筆者所謂之臺灣本土儒師，乃是以其出生地而言，只要他本人是在臺灣出生者皆可屬之，而不論其祖先來自中國內地何處。

（一）章　甫

　　章甫，生於乾隆二十五年（1760），卒於嘉慶二十一年（1816），臺灣縣人（今臺灣省臺南市）人，字申友，號半崧。嘉慶四年（1799）歲貢，設教里中。

　　臺灣縣學教諭梁上春在為章甫《半崧集》所寫的序中說：「先生諱甫，字申友，余本學生采尊人也；以歲貢生名著閩海。性嗜古，天分最高；凡經書子史百家，無不采其精華而醞釀之。」由以上序言可知，章甫之兒子采為梁上春學生；而在當時，章甫就以歲貢生身分有名於閩臺兩地，對經書子史百家之學無不涉獵。另外，章甫於課學餘暇，對地方上之文教工作也多有參與，因此而有多篇駢文及雜文記其事，譬如駢文有〈重修臺郡文廟序〉、〈建敬聖亭疏〉、〈送崇文書院山長熙臺梁廣文歸榕城序〉、〈重修義民祠序〉；雜文有〈重修崇文書院文昌閣記〉。以上皆收於《半崧集》中。

1. 敘述世代以習舉業傳家之詩作

章甫家學源遠流長，在其〈先考妣行略〉及詩作〈哭父〉十二首中述之甚詳。由這些敘述，吾人看到清代臺灣社會，士子階層家學傳承情形，以及所映之中國傳統士子門第家風觀念。

今筆者先藉由章甫〈先考妣行略〉及詩作〈哭父〉十二首，見其父以習舉業傳家之實；再次亦藉章甫詩作，以見章甫訓示兒孫傳承家學之況。先說章甫其父之以習舉業傳家情形。〈哭父〉十二首皆為七言絕句，先看〈哭父〉十二首之七：

> 承家十二世儒門，少教兒曹老教孫。
>
> 翻覺放翁藏本少，檢書何止一箱存。——（見《全臺詩》第參冊，頁393）

章甫在〈先考妣行略〉中自述：祖先恒久公宦閩，籍泉南；大氏公元魁，科第傳芳。其父章廷剛，為邑增生。傳至其父時「書香凡十二世」。其父性情溫和敦厚，不與人計較，終身不入公門，而善教兒孫。對「四子」、「六經」今古文詞無不研窮底蘊，作蠅頭注解，告訴章甫讀書要「標其要旨，便於探討」，並編輯《四書捷解》，存為家課之用。在弱冠之後補弟子員，越三年，科試首錄，為臺學之冠，補邑增生。而章甫父親少年時對科名的熱切追求，可說是即清代臺灣士子的一個典型代表。章甫在〈哭父〉十二首之八中說：

> 航海當年險海隅，蓋棺今盡道真儒。
>
> 也知正寢蒙天報，其奈椎心怙已無。——（見《全臺詩》第參冊，頁393）

此詩章甫自註：其父在乾隆乙酉（1765）科考結束後，歸臺灣途中，船泊澎湖，颶風大作，恍惚間似見神光，舟覆，幸脫困登岸，人皆稱善報；此事章甫也俱載在〈先考妣行略〉中。其實這樣的赴內地應考經驗並不是章甫父親才有，而是當時一個普遍且嚴重的問題，更有甚者，連人帶船隨浪漂沒無蹤。為此，終有清領臺的 212 年裡，宦臺儒官無不想盡辦法尋求解決之道，而清廷當局對此也多有片面優惠臺灣士子之舉，譬如雍正七年（1729），因夏之芳之奏（夏之芳之論述，請詳見本論文第四章第一節），臺灣五學鄉試，仍按照舊例，另編臺字號於閩省中額內取中一名。後來在雍正十三年（1735），果然「復准加中一名」。〔註28〕至於會試，到了道光三年（1823），臺灣奉准取中一名。〔註29〕又咸豐

〔註28〕見劉良璧：《重修福建臺灣府志・卷二十・藝文・奏疏・題請會試額中部覆疏》，臺灣文獻叢刊第七四種，頁 518。

〔註29〕見《欽定大清會典事例・卷三百五十・禮部・貢舉・會試中額》，頁 502。

九年（1859），臺灣舉人王獻瑤，在赴京趕考途中，一次因爲道路梗塞折回，另一次因爲航海遭風遲誤，清廷於是准其明年補行覆試。〔註30〕光緒元年（1875）七月初八日，沈葆楨也因臺灣地處偏遠，海洋阻隔，而在〈福建臺灣奏摺・歲科兩試請歸巡撫片〉中建議直接在艋舺地方准予捐建考棚，讓巡撫閱兵臺北時順便按臨。

　　章甫父親遇難倖還，但是並未因此澆滅其科舉仕進之心，仍以讀書作爲教誨兒孫、承先啓後之大計。章甫在〈哭父〉十二首之九中說：

　　　六經都是手親裁，三篋亡書苦記來。

　　　手澤不堪頻撫卷，一回朗誦一回哀。──（見《全臺詩》第參冊，頁 393）

此詩章甫自註：「父質魯，力學，舟覆，失文集十多卷。歸，手錄不差。」章甫父親不但未因覆舟事件畏懼，歸家後，一面自己更加緊讀書，一面則教導兒孫要繼承家學，章甫在〈先考妣行略〉中，引述他父親的話說：「父曰：『吾族代有科名，當力圖進，取毋自畫焉。』」希望章甫力圖上進，不可畫地自限。甚至冀望能父子雙榜，光耀門楣。章甫在〈哭父〉十二首之十中說：

　　　每把雙闈動輒思，肯因白首墜青雲。

　　　傷心遺訓隨流水，空樹文壇早冠軍。──（見《全臺詩》第參冊，頁 393）

此詩章甫自註：「父攻舉子業，至老不倦，逝前數日，嘗曰：『來年壬子科，嘗航海同赴棘闈。』」此話章甫也記載於〈先考妣行略〉中。只遺憾章甫父親這個願望，隨著溘然辭世而不得實現。

　　由以上四詩，吾人看到清代臺灣士子，在科舉功名這條路上之努力，以及傳承家學之使命感。而背負傳承家學使命的章甫，在科舉路上，踏著父親腳蹤亦是奮進不懈，曾經先後在庚子（即乾隆四十五年（1780））、癸卯（即乾隆四十八年（1783））、丙午（乾隆五十一年（1787）），三次赴試。直到嘉慶四年己未（1799），39 歲，才終於取中歲貢。章甫前後花了將近二十年時間，才取得科舉之功名，完成家學之傳承。他在〈因病省試不果書以誌勉〉中說：

　　　半世功名未遇時，文章得失寸心知。

　　　不才敢恨輸先著，多病偏教落後期。

　　　驢背難聲憑獻策，葭蒼露白但吟詩。

　　　三年且把毛錐琢，休道囊中未處之。──（見《全臺詩》第參冊，頁 346）

此首爲七言律詩。此詩作於因病而不能赴省試之後。首二句章甫說自己年已

〔註30〕見同上，《欽定大清會典事例・卷三百五十一・禮部・貢舉・覆試》，頁 524。

半百，在科舉上雖遇不到好時機，但文章好壞自己心裡明白；三、四句說不敢恨自己因爲多病，以致先輸在起跑點，舉業落於人後；五、六句說自己不善鑽營奉承，只知在葭蒼露白時吟詩；七八句則勉勵自己，在往後三年中將要好好琢磨文筆，不信囊中之錐不破囊而出。此詩章甫所表現熱切追求舉業之前仆後繼精神，與其父一樣，亦可謂是清代臺灣士子的典型代表。

　　章甫後來雖然限於科舉等第不高，無法出仕作官，但是他一面設塾課學，一面仍不忘訓誨兒孫勤攻舉業傳承家學。他在〈示采兒〉說：

　　　　人無百歲身，形骸難長保。人有千載名，讀書爲最寶。……

　　　　勿謂富于年，及壯未聞道。轉瞬四五旬，後生誰再造。

　　　　況汝猶衿青，予幾頒白老。勉旃復勉旃，成名期汝早。

　　　　──（見《全臺詩》第參冊，頁313～314）

此詩爲五言二十四句之古詩。此處所引爲前四句與後八句。前四句章甫告訴兒子，人生不能滿百，形體終會毀壞，人若想要流傳千載美名，就以讀書爲最好方法。後八句章甫訓示兒子采兒，不能倚仗年紀尚輕而怠惰，否則轉眼成老。並且勉勵采兒，希望他趁早成就功名。由此詩，吾人可清楚看到章甫將自身科舉經驗傳授給兒子之一斑。而以下之〈示兒孫〉也是如此：

　　　　硯上我家田，傳耕幾百年。固窮休送鬼，安業亦云仙。

　　　　尚剩琢錐地，寧艱補石天。試觀長坂駿，作勢便無前。

　　　　──（見《全臺詩》第參冊，頁320）

此詩爲五言律詩。章甫開宗明義便告訴兒孫，讀書是吾家傳承幾百年之業，必須固窮安業，甘之如飴；第六句用女媧補天典故，訓示兒孫即使辛苦也要努力琢磨文筆，最後兩句，引用《三國演義》第四十二回文聘追趙雲軍隊至長坂橋，卻恐中諸葛孔明之計而不敢向前之典故，訓示兒孫不能像文聘一樣，只虛張聲勢卻不敢向前。

　　由以上章甫所述其父對自己，以及自己對其兒孫之訓勉，吾人清楚看到清代在臺灣實施儒學教育，利用科舉取士方式深化儒學思想之統治方式，在士子身上，甚至家族所產生之深長影響。

　　2. 論儒家學說之詩作

　　雖然在今日章甫所存之詩作中，未見有論學或說理之試帖詩，不過他在〈曉鏡四吟有記‧崇儒辟釋〉中卻有論及儒學之事：

　　　　儒教由來立至尊，休將境地溷沙門。

佛自面面分千變，道自頭頭會一元。

不受鎖韁纏世界，何須衣缽淨天根。

關前人鬼機參破，笑殺拈花解妙論。——（見《全臺詩》第參冊，頁 375）

〈曉鏡四吟有記〉四首皆為七言律詩，〈崇儒辟釋〉為第一首。章甫依著一貫對儒學尊崇之態度，在第一句開宗明義便說，儒學教化從來都是立於至尊之地，不可將儒學教化之境界與佛門混為一談。佛門弟子由不同角度將佛學切割成不同支派，各自詮釋佛學、各自傳承衣缽；相反地，儒學則收納各種不同之道匯成一元。至此，章甫又說佛門既主張不受這個世界羈絆，那麼又何須想靠著傳承衣缽清淨天根；而更可笑的是，既說已參破人鬼之間的關卡玄機，又為何要用拈花妙論解說玄機？

章甫此詩可謂對儒學護衛有加，而對佛學則嚴厲排斥。筆者推測，章甫之所以有此詩之作，應該是因當時許多人將宋理學視為即佛學，或將宋理學與佛學混為一談，而章甫認為這兩者截然不同，故而作詩辟之。〔註31〕

3. 敘述教學相關情形之詩作

章甫長期擔任教職，因此有多首記錄關於教學工作之詩作；而他於課學餘暇，對地方上文教工作亦多有參與，因此也有多篇駢文及雜文記其事。先說後者。

（1）參與地方文教活動

在章甫記錄文教工作之駢文及雜文記中，其中與儒學教育相關者，譬如雜文有〈重修崇文書院文昌閣記〉（作於乾隆五十一年（1786））。駢文有〈重修臺郡文廟序〉（作於嘉慶六年（1801））；〈送崇文書院山長熙臺梁廣文歸榕城序〉（時間不詳）。以上皆收於《半崧集》中。

在這些文章中，章甫一再表現出對儒學之尊崇。在〈重修崇文書院文昌閣記〉中，章甫以一位方才 26 歲年紀的臺灣本土儒士身分，感謝宦臺的武源進士孫景燧太守重修崇文書院文昌閣之功，他說：「予偕同人登是閣，氣象萬千，與學中閣射斗聚奎，彼此輝映；而下視講堂，春風坐化、尊酒論文，猶依依昔日盛事也。同人謂太守重興，功不在覺羅公下。」〔註32〕

〔註31〕筆者按：章甫雖然極力辟釋，但吾人由〈東觀讀未見書〉一詩，則明顯可看出他對道家之《老子》一書卻推崇備至，此詩已引於本論文第三章第四節之「一、由學校藏書看學生所受之儒學教導」中。

〔註32〕見章甫：《半崧集簡編》，臺灣文獻叢刊第二〇一種，臺北：臺銀經研室，1964年（民 53），頁 69。以下本論文各章所引用此書皆為同一版本，不再贅敘出

在〈重修臺郡文廟序〉（嘉慶辛酉年）中，當時章甫 41 歲，已設帳為儒師，對至聖先師孔子，更表達了最大的尊崇之意，他說：「恭惟先師垂教，神靈丕著學宮；聖代崇儒，祀典首尊文廟。煌煌國典，王號追封；奕奕天章，御書特筆。」〔註33〕

而如同感謝孫景燧太守對重修崇文書院文昌閣一樣，章甫也感謝宦臺任臺灣府臺灣縣學教諭，同時也是自己兒子章采的老師——梁上春，肯定他對臺灣儒學教育之貢獻。他在〈送崇文書院山長熙臺梁廣文歸榕城序〉中歷敘梁氏在臺灣任教期間，諄諄教導學生之情形，而說：「瞻弟子之環宮槐樹下，因時講學；列生徒而設帳絳紗中，以次傳經。不唯雅擅鴻儒，恍百城之高擁；抑且無慚山長，儼四院之宏開。」又說梁氏教學認真負責「晨興而入」、「夜盡乃歸」；傾囊相授「瓊尺無私於己」、「金針竟度與人」。〔註34〕以下再說章甫詩作方面：

（2）學校之教學

章甫雖然長期從事教學工作，但在現存詩作中，卻大約只能找到〈塾課即事〉一詩，是有關記錄他教學工作者：

> 花枝夜雨讀書燈，曉起煎茶午飯蒸。
>
> 得氣先知春鴨水，篤時難語夏蟲冰。
>
> 移山畢竟非無濟，超海從來是不能。
>
> 千里要窮樓上目，端應踏上最上層。——（見《全臺詩》第參冊，頁378～379）

此首為七言律詩。全詩章甫巧妙鎔鑄典故以表達在私塾授課之隨感。第一、二句自述教書生活平凡簡單、週而復始，晚上花枝夜雨伴燈讀書，早起沏一壺茶，自己料理午飯。第三、四句借用蘇軾〈春江晚景〉題畫詩，以及《莊子·秋水篇》兩個典故告訴學生，要得到書中義理精髓只有靠自己領悟體會，猶如春江上得氣之先的水鴨，難以說與不知冰雪之夏蟲分享。後面四句則連用《列子·湯問篇》、《孟子·梁惠王上》、王之渙〈登鸛鵲樓〉三個典故告訴學生，愚公移山鍥而不捨的精神對讀書是有助益的；但若超出能力範圍，妄想挾泰山以超北海也是不可能成功；最後，章甫告訴學生，若要窮盡千里之目，必須先踏上樓臺最高層，也就是說，若想要一舉成名天下知，必先一

版地、出版社與出版年。
〔註33〕見同上，《半崧集簡編》，頁54。
〔註34〕見同上，《半崧集簡編》，頁59。

步一步腳踏實地的努力，持續累積自己實力直到最後。詩中，章甫訓勉學生要腳踏實地努力向學，卻不言一句教訓語，只連篇藉用古人詩文，而讓學生自己領略得取；因此吾人若不先從詩題入手，緊扣詩題作思考，將會以爲此詩只是抒發情感之作而已，但若深入體會，則獲益亦多矣，其教育策略頗高。

（3）祝賀學生入泮

清代臺灣儒學教育普遍興盛，不僅士子家族世代以舉業傳家，一般人家也以讀書取中科名爲光耀門楣之事，因此在清代臺灣本土儒師之詩作中，有一種頗爲特殊之慶賀詩，即祝賀學子入泮。明、清之際，文廟仿效周代學校之制，建有泮池，池形呈半月形，上有泮橋，稱爲泮水。池旁之學校即稱爲泮宮。學童考入縣學稱爲生員，新進生員須入學宮拜謁孔子，就稱爲入泮或遊泮。

清代在臺灣有計畫地實施儒學教化，學校之教學，一以孔孟儒學作爲教學內容，因此臺灣各府、縣、廳儒學亦如中國內地，皆建有文廟，文廟中有泮宮、泮水、泮橋。以故，在清代臺灣本土儒師之詩歌中，不時亦會出現有祝賀學生入泮之作。

章甫教導學生有方，其弟子多有成者，因此在他詩作中有多首祝賀學生入泮之詩。譬如〈賀施君渭入泮〉（見《全臺詩》第參冊，頁 306）、〈門人陳植青入泮〉（見同前，頁 312）、〈賀陳仲義長郎穎臣入泮〉（見同前，頁 316）、〈賀陳朝脩入泮〉（見同前，頁 329）、〈門人施鈺入泮〉（見同前，頁 344）、〈門人郭紹芳秋闈獲雋〉二首（見同前，頁 359）、〈泮雙喜〉（見同前，頁 362）、〈賀李碧雲入泮〉（見同前，頁 365）、〈賀陳握卿遊泮〉（見同前，頁 382）。

以上這些內容幾乎都是千篇一律，其中不免也有應酬溢美之辭。不過，其中對學生的期勉鼓勵，亦足以見出爲人師者之一片誠心。譬如在〈門人陳植青入泮〉詩中，章甫對陳植青之殷殷叮嚀，便頗深切中肯：

　　讀書不爲名，今人與古比。讀書亦爲名，都從采芹始。
　　少小從予遊，及門推質美。果處囊中錐，穎脫便如此。
　　爾看馬空群，一發直千里。勿以著初鞭，而畫半途止。
　　古來范子期，重任秀才起。小就而大成，吾將拭目俟。
　　——（見《全臺詩》第參冊，頁 312）

此詩爲五言十六句古詩。在此詩中，吾人知道陳植青從小即跟著章甫讀書學習，而且資質聰穎，一試即中。章甫告訴陳植青，讀書不是爲成名，而是要

與古人比美；而若要成名，則必須要從當讀書人開始；切勿才剛起步就畫地自限，半途而廢，因為家國重任乃從秀才開始。最後章甫又殷殷期勉鼓勵陳植青，要拭目以待他成就大功名之到來。

以上這些祝賀學生入泮詩，雖然與儒學無直接關係，但因是隨臺灣科舉考試發達，應運而產生之詩作，所以它們的存在意義，其實已超越詩歌內容如何，而是見證清代臺灣儒學教育發展之實況。

4. 敘述個人感懷之詩作

儘管化育人才使之有成是章甫最感欣慰的事，但其實就當時的時代而言，從事教職是讀書人除了作官之外，別無選擇的最好、也是最無奈的出路。尤其是臺灣本土儒士，即使是科舉出身，具有儒師程度，礙於當時清廷的迴避政策，想要留在臺灣進入清廷教育體系下之府、縣儒學任教簡直不可能，因為終有清領臺的 212 年間，也只有 29 位而已，而且都集中在光緒十五年（1889）以後。在此情況下，除非自己願意遠渡重洋，否則臺灣本土儒士都只能自謀出路，能謀到教師一職就已算是上職，其餘者就更不必說。

章甫雖然有幸能擠身儒師行列，惟因清代臺灣社會儒師只有清高之名，無實質社會地位，收入微薄，因此章甫也是與其他儒士一樣，不能免於貧窮困窘，他在〈貧士嘆〉中說：

> 本是貧非病，翻因病更貧。飢憐疏食樂，寒覺縕袍親。
>
> 窮鬼送文幻，寒儒應識眞。交遊自然少，聊伴老梅春。
>
> ——（見《全臺詩》第參冊，頁 326）

此詩為五言律詩。詩中前四句，章甫反覆敘述貧病交迫之狀，繫以自嘲式感嘆；五、六句又繼續前四句之感嘆，自嘲送窮文能送窮之說太虛幻，身為儒士必須知道一定會貧窮才是眞的；至於七、八句，既悟知儒士必窮是不爭之事實，章甫反而表現出接受貧窮之豁然，而說「交遊自然少，聊伴老梅春」，既然因貧窮而少朋友，就姑且陪伴老梅共度此美好春天。

章甫家學源遠流長，世代以習舉業傳家，其父繼之，章甫又繼之，其子章采再繼之，這在當時清領時期的臺灣並不是唯一；而像章甫父子一樣，為了求取科名不畏危險，一而再、再而三地遠渡重洋參加考試者也是多有所見，章甫只是其中一個例子而已。不過也就是因為如此，章甫不但科名路走得辛苦，在當時僧多粥少競爭下，章甫雖然不免抱怨教書生活清苦，但還是緊抓住這個得來不易的工作不放，而且造就出不少優秀學生。吾人由他多首祝賀

門生入泮的儒學詩看來，他確實是一位難能可貴的，能克盡職責、會鼓勵學生上進的稱職儒師，因此筆者將他選出作為清領時期臺灣本土儒師的典範代表之一。

（二）鄭用錫

鄭用錫，生於乾隆五十三年（1788），卒於咸豐八年（1858）。原名蕃，字在中，號祉亭。祖先福建漳浦人，明末遷居金門浯江，乾隆年間，其祖父鄭國唐攜子崇和渡海來臺，定居淡水廳後壠，鄭崇和後來成國子監生。嘉慶十一年（1806）為避閩粵械鬥，舉家遷移至竹塹（即今新竹市），遂落籍於此。

鄭用錫於道光三年（1823）考取進士，為第一位在臺灣出生，從小在臺灣接受儒學教育而考取進士者，因此有「開臺黃甲」美稱。道光十四年（1834）曾入京任官，但因不習慣官場交際應酬，即於道光十七年（1837）以歸養老母為由辭官。回臺灣後，對地方文教或公益活動皆積極參與，為地方上重要仕紳。曾擔任明志書院山長多年，據《全臺詩》說法，時間約在（1829～1834、1852～1857），〔註35〕也就是道光九年到道光十四年，以及咸豐二年到咸豐七年，總計前後有十年之久，卒後入祀鄉賢祠。

1. 敘述世代以習舉業傳家之詩作

《淡水廳志》說鄭用錫「治家最嚴，所編家規子孫猶恪守之」。〔註36〕而他不但手編家規訓示子孫，且透過詩作表達他維護家學，重視傳承的熱切，以下筆者試舉數詩，以見其對父親家學的繼承與對諸弟及子孫的冀望之情。〈述德〉：

> 當知貽厥起寒儒，鑿硯為田得食租。
> 畢世儉勤嘗薤韭，千秋俎豆盼枌榆。
> 刊碑父老談名姓，遺鏤兒孫謹步趨。
> 猶記彌留清白語，傳家即此是良圖。——（見《全臺詩》第陸冊，頁78）

此首為七言律詩。鄭用錫此詩乃述其父鄭崇和之德。鄭崇和，名合，字其德，號貽菴。生於乾隆二十一年（1756），卒於道光七年（1827），享年七十二歲。鄭崇和祖籍福建漳浦縣，自幼與其父鄭國唐來臺，先是居住在淡水廳後壠，後來因避閩粵械鬥，攜帶家眷，舉家遷移至竹塹（今新竹市），設私塾授徒，

〔註35〕見《全臺詩》第陸冊，頁1。
〔註36〕見陳培桂《淡水廳志・卷九・先正》，臺灣文獻叢刊第一七二種，頁270～271。

爲國子監生。鄭氏平時熱心公益，多次出資救濟貧孤，爲地方仕紳領袖。娶中港人陳素爲妻，育有三子鄭用錫、鄭用錦、鄭用鈺，三人均有功名，其中又以次子鄭用錫聲名最高。鄭用錫在此詩中首敘其父鄭崇和乃出身貧寒之儒，辛苦努力積聚家產；次敘其父終其一生勤儉自奉，對地方公益則不遺餘力；三敘其父過世後遺愛鄉梓，鄉中父老對其父義行津津樂道，遺留典範讓子孫跟隨效法；四敘其父臨終手書「一生清白」訓示子孫，成爲最珍貴的傳家寶。在此詩中，鄭用錫表現出對父親德行的敬仰與追隨。因此繼承家學、遵守庭訓、光耀門楣成了他一生最大的責任，甚至到了耄耋之年也還謹記心中。他在〈七十自壽〉八首之二中說：

> 一卷琅琅讀父書，趨庭曾記惜居諸。
>
> 五經鼓吹依函几，十載簷燈課草廬。
>
> 拜母相傳能擇里，生兒敢負望充閭。
>
> 每思三命銘恭語，遺訓循牆尚宛如。──（見《全臺詩》第陸冊，頁104）

〈七十自壽〉爲一組詩，七言律詩體，共有八首，爲鄭用錫在七十歲時爲自己祝壽之詩。第一首類似序言，總說他七十年的一生過往，在此詩第三、四句，他說：「家世巾箱多茹苦，生涯饘粥諱言貧。千章喬蔭承先澤，一領寒氈作替人。」鄭家以詩書傳家，家境貧寒，生活清苦，而自己傳承父親家學，也當起儒師作育英才。至於以下七首，則大略依年歲順序，以十年爲一區隔，每十年撮寫成一詩。因此八首之二，即鄭用錫自述在十歲之前，接受其父親自教導之記憶。

　　在此詩中，鄭用錫回憶自己在十歲前，於父親督導下琅琅誦讀著父親的書，十年間依著函几努力記誦五經文；而多賴母親多方打聽選擇好地方，在舉家搬遷至竹塹之後學業大進，十三歲即能成文而受父親器重；而自己因自恃聰敏行爲浮放，也幸賴父親教誨訓勉而得以改正。由此詩，吾人看到清代臺灣社會，士子以詩書傳家，重視家學傳承之一斑。

　　以上之詩爲鄭用錫七十歲時的回憶之作。而在實際生活歷程中，鄭氏自幼承受父親庭訓，在科舉成名後，即以傳承家學爲己任，時時以家學告誡提點諸弟及子孫。譬如以下〈家大人誕辰書示二弟〉：

> 親年六十七，懍懍懷無逸。世路薄春冰，人生愛春日。
>
> 秉性厭紛華，經史課兒姪。生平所願望，箕裘能繼述。
>
> 我今三十餘，何時報鼎實。請還讀父書，塤篪吹一一。

長著老萊衣，高堂安且吉。──（見《全臺詩》第陸冊，頁3）

此首爲五言十四句古詩。鄭用錫此詩作於其父六十七歲生日，而自己三十幾歲時。詩中他告誡二弟，父親一生自律嚴謹毫不懈怠，雖然世路險惡，青春苦短，但是父親厭棄虛華，努力用經史教導兒姪，平生最大願望是兒孫能克紹箕裘。至此話鋒一轉，鄭用錫一面反身自省，不知何時才能回報父親；另方面希望二弟能收心，回頭繼承父志，傳承家學，使父母得以安吉無憂。此詩爲五言十四句古詩，鄭用錫用前八句敘述父親爲傳承家學所做之努力，接著用兩句把自己帶入；最後接著用四句「請還讀父書，壎篪吹一一。長著老萊衣，高堂安且吉。」來勸告二弟。吾人由鄭用錫對整首詩的份量安排，不難看出他的用心良苦，一則要彰顯父親的德行讓弟弟更看見，二則要留給弟弟顏面，不忍責備弟弟讓父親憂心，反說自己到三十餘歲還不能回報父恩。直到最後才以短短四句點出要勸告弟弟之事作結，而語氣從容平和，詩境溫馨可人。

而相對於勸告弟弟繼承父志、傳承家學時的溫和口氣，鄭用錫在勸戒自己兒子要把握歲月努力讀書時，則語氣堅定而直接。譬如〈示松兒〉：

男兒貴自立，弧矢昔所懸。相期在千古，不讓今人前。
我年三十六，一第幸登天。蹉跎猶自悔，兀兀嗟窮年。
窮通雖有命，爾志當益堅。譬如登華岱，奮跡陟其巓。
且披鄴侯架，更著祖生鞭。光陰如過隙。轉瞬難久延。
桑榆收已晚，時逾境亦遷。門閭吾望子，勿復廢鑽研。

──（見《全臺詩》第陸冊，頁5）

此詩爲五言二十句長律。詩中一開始，鄭用錫便直接告訴兒子，身爲男兒貴在能自我卓然自立，要立志留下千古好名聲，不讓別人專美於前。又舉自己爲例，三十六歲時一舉得進士，尚後悔蹉跎了歲月虛擲光陰。爲此，他殷殷切切，反覆勉勵兒子，雖然窮困亨通有其命定，但更要因此堅定意志，披書展讀，重拾舉業，切莫遷延時日，待一切事過境遷，將爲時已晚矣。而最後兩句「門閭吾望子，勿復廢鑽研」，則結論前述，希望兒子不要再荒廢學業，忘記鑽研之功。在此詩裡，吾人所見到的鄭用錫，不是一位高不可攀、滿腹經綸的進士，而是一位殷切盼望兒子習舉業，傳承家學的父親。

除此，鄭用錫另外還有一首〈示兒子〉，詩中也是充滿父親對兒子的殷切期盼：「一脈書香當振刷，百年門祚賴扶持。」（見《全臺詩》第陸冊，頁101。）此詩

為七言律詩，此處所引為第五、六兩句，鄭用錫期望兒子能振興一脈相承之家學，扶持百年清白之門風。

除對兒子殷切期盼，鄭用錫對長孫鄭景南也是寄予厚望。鄭景南從小就天資穎悟，年方十七已入泮宮，鄭氏對他期望很高，把傳承家學的冀望都仰賴在他身上。因此在〈示長孫景南〉一詩中，他告訴景南不要與庸俗者相為儔，要保養身體，要心氣和柔，而這一切都是在為學業先作準備。在〈七年七月七日景孫祀奎星招七友為斯盛社書此勗之〉一詩中，他對景南說：「願爾努力各飛騰，上應列星同攜手。神如首肯來默相，報賽年年薦蘩韭。」（見《全臺詩》第陸冊，頁25）另外鄭用錫又另闢「鄰花居」讓景南能專心一志讀書，他在〈景孫讀書鄰花居〉二首之一中說：

> 不出門庭外，潛修託草茅。丹鉛誰默契，文字幾知交。
>
> 努力傳家學，游心在典墳。退閒無一事，吾豈等懸匏。
>
> ——（見《全臺詩》第陸冊，頁34）

此首為五言律詩。由此詩可以看出鄭用錫對景南期望極高，要他學習修心養性、磨鍊文筆、努力研讀儒學經典，以便傳承家學。因此他在〈再贈斯盛社同人〉中說：「心苗好種文章福，腹藁能便氣象華，得失全憑三寸管，榜中花即筆中花。」（見《全臺詩》第陸冊，頁60）此首為七言律詩，此處所引為後面四句，詩中鄭氏明確為景南點出科舉應試秘訣在能將文筆磨鍊精純，因為榜中功名就在璀燦如花之文筆下。又如〈景孫體弱未嚴課而詩文日進喜而賦此〉：

> 暮年藉此足歡娛，鎮日摩挲筆硯俱。
>
> 冀汝清聲逾老鳳，喜無駑駕異凡駒。
>
> 文章有福關聰穎，軌範相期共步趨。
>
> 最慰書香傳一脈，天將晚景慰桑榆。——（見《全臺詩》第陸冊，頁93）

此首為七言律詩，詩中鄭用錫表現出後繼有人之欣喜。他一方面對景南寄予厚望，希望他「清聲逾老鳳」，也就是青出於藍而甚於藍，另方面讚美景南聰明穎慧，足以期待他繼承家學。而今，景南果真不但文章有成，規矩範式也能亦步亦趨相追隨，因此鄭氏自言這是他晚年最大的安慰。

另外又如〈獨坐無聊為景孫評文〉二首之二中說：「弱體劇憐學就荒，有時搖筆便成章。可知蘭蕙非凡質，受得滋培壓眾芳。」（見《全臺詩》第陸冊，頁124）詩中鄭用錫明顯表現出對景南之疼惜與期望。不過遺憾的是景南因為自幼體弱，加上不幸年少喪妻，使他雖然資質聰穎，卻不免學業荒廢，此處鄭用錫

雖然詩中不明言，心中也實在有著幾許惆悵情愫。而這股惆悵情愫，他在〈自歎〉二首之二中便表露無遺：

> 盈門旗匾尚彬彬，無大功名卻可人。
>
> 劇惜多年成絕響，第留榜樣望傳薪。——（見《全臺詩》第陸冊，頁130）

此詩爲七言絕句。在第一首中，鄭用錫感嘆歲月如梭，轉眼間身邊朋友同輩都已白髮皤皤。而在此首，鄭用錫則感嘆一生走過的歲月，雖然沒有顯赫功名，但滿屋努力得來之旗匾，看來卻也光耀奪目；只可惜青春年少不能再現，而今所最期盼的是留下好榜樣，把家學繼續流傳下去。

而除了對直系子孫熱切盼望能傳承家學外，鄭用錫對家族子姪之入泮就學，也無不時時關切，給予滿滿期許，如〈諸姪入泮作此勖之〉（見《全臺詩》第陸冊，頁20）、〈姪孫紀南入泮〉（見同上，頁67）、〈如蘭如金二姪入泮書以勖之〉（見同上，頁87）。吾人由他在〈讀書聲裡是吾家〉所描述之場景，不難看出鄭用錫家族在習舉業傳家這一方面之努力：

> 一片書聲裡，紅塵靜不譁。平生無別業，此地是吾家。
>
> 座有談經席，門多問字車。風雲看萬里，桑柘隔三叉。
>
> 長物青氈賸，何人白板摀。草堂栽柳密，茅屋補蘿斜。
>
> 在笥千章熟，連床百軸誇。箇中眞境樂，誰復讀南華。
>
> ——（見《全臺詩》第陸冊，頁185）

此詩爲五言十六句長律。詩中鄭用錫把自家之居家環境裡外都做了一番敍述，茅屋草堂外有桑柘、有密柳；可以吹風、可以看雲；庭院停著前來問字學生的車子。茅屋草堂內除了琅琅讀書聲外一片靜肅，家中座上有談經的講席，前來問字學生絡繹不絕，屋內除了祖先遺留下來的舊東西，以及爲數眾多可以自誇的藏書外別無長物。而儘管物質生活簡單，最後鄭用錫卻滿足地說，「箇中眞境樂，誰復讀南華」，此中的樂趣比莊子的神仙境界更快樂。

總此以上，鄭用錫在詩作中所反映出來的，即是當時清代臺灣社會，在接受長期儒學教育後，士子階層的一個典型範式代表，他們重視家庭倫理，遵守祖先遺訓，鑽研儒業，重視科舉，並以此作爲家學傳承。

2. 論儒學及儒家精神表現之詩作

鄭用錫之學根柢於六經，在其古文及詩歌中，皆可見到許多論儒學或王道之作。鄭用錫著作生前皆未付梓，今日吾人所見之《北郭園全集》，爲同治年間侯官舉人楊浚，受鄭氏次子鄭如梁委託所裁編，內容計有文鈔一卷，詩

鈔五卷，另制義二卷，試帖二卷，總共十卷，前冠諸家序文及墓誌銘一卷，
於同治九年（1870）付梓行世。〔註37〕

（1）論儒學

鄭用錫用詩作論述五經、論述儒學人物。先說論述五經，他有〈讀易示
諸兒〉：

> 五經眾說郛，惟易匯眾理。道通月窟中，義蘊天根裡。
> 嗟彼讀易者，不過混沌耳。不知先後天，圖自羲文始。
> 爻詞象彖繫，周公及孔子。彖以括其全，爻各隨所視。
> 三百八四爻，取象皆虛擬。其間德位時，當須判臧否。
> 承乘兼比應，毫髮難差徙。吉凶同悔吝，占詞辨由起。
> 二五位居中，論正或未是。惟中能兼正，餘雖正莫比。
> 互卦與錯卦，旁通悟其旨。一陰復一陽，變化無涯涘。
> 何人執此編，一一窮原委。由淺而及深，幸勿踰前軌。
>
> ——（《全臺詩》第陸冊，頁15）

此首為五言三十二句古詩。鄭用錫的學術研究集中在儒學，包括五經和宋儒
之學。在此詩中，鄭用錫對兒子講說研讀《易經》之心得。他說五經之註解
眾說紛紜，各立壁壘，只有《易經》是匯集眾理，道通於月窟之間，義蘊於
天根之內。然俗儒讀《易經》之文，混沌不明就裡，也不知從何處追尋本原。
自此而下，鄭用錫逐項為兒子解說易圖與爻辭、彖、象、繫辭之由來，以及
承乘比應、互卦、錯卦之涵義。最後，他告訴兒子，儘管不知有誰可以執此
書而一一探究源頭，但是最主要的是不要踰越前軌，必須由淺而深，一步一
步慢慢學習。鄭用錫在此詩中，將自己研讀《易經》之心得傳授給兒子，無
非是要兒子掌握閱讀《易經》之要領，免得也陷入俗儒之混沌中而徒勞無功。
此詩雖曰教子，其實也是在教人。

次說以下三首。此三首是在論三位宋儒人物——李延平、李伯紀、蔡西
山。先說李延平，〈詠閩儒・李延平先生〉三則之一：

> 遯世終無悔，平居四十年。科名慚末第，河洛悟先天。
> 一室簞瓢樂，千秋衣缽傳。機倪闚神鬼，奧窔洞山川。

〔註37〕見鄭用錫：《北郭園全集（上）》，臺灣先賢詩文集彙刊，第二輯1，臺北：龍
　　　文出版社，1992年（民81），目錄前一頁。以下本論文各章所引用此書皆為
　　　同一版本，不再贅敘出版地、出版社與出版年。

斯道存文字，吾身可聖賢。冰壺真了徹，圭角獨磨研。

況抱邱林志，能操筆削權。憂時長默默，戀國復拳拳。

大節完忠孝，名言記簡編。風雲當路幻，日月此心圓。

危坐能終日，豪情屬少年。至今過劍浦，水竹薦羞籩。

——《全臺詩》第陸冊，頁 48）

此首為五言二十四句長律。李延平生於宋哲宗元祐八年（1093 年），卒於宋孝宗隆興元年（1163），年七十一歲。為程頤二傳弟子。《宋史》說：「李侗，字愿中，南劍州劍浦人。年二十四，聞郡人羅從彥得河、洛之學，遂以書謁之。……從之累年，授《春秋》、《中庸》、《論語》、《孟子》之說。從彥好靜坐，侗退入室中，亦靜坐。從彥令靜中看喜怒哀樂未發前氣象，而求所謂「中」者，久之，而於天下之理該攝洞貫，以次融釋，各有條序，從彥亟稱許焉。既而退居山田，謝絕世故餘四十年，食飲或不充，而怡然自適。」李侗雖然平日閒居，若無意於當世，但是「傷時憂國，論事感激動人」當時吏部員外郎朱松，與李侗為同門友，推崇之，令其子朱熹從其學，朱熹遂得李侗所傳。沙縣鄧迪曾形容李侗「如冰壺秋月，瑩徹無瑕」，朱熹也形容他「姿稟勁特，氣節豪邁，而充養完粹，無復圭角。」〔註 38〕

在學術思想上，李延平提出「理與心一」，主張「默坐澄心，體認天理」。朱熹將他的語錄集結成《延平答問》，收在康熙四十八年（1709）刊刻的《李延平集》中。〔註 39〕

鄭用錫此詩起於自己路過劍浦時，在李延平故地追念先儒賢澤有感而發。在詩中，鄭氏將李延平生平事蹟、學術思想，以及時人對他的評論融鑄在一詩中，而以最後兩句「至今過劍浦，水竹薦羞籩」，來表示對李延平的敬佩與瞻仰。次說〈詠閩儒‧李伯紀先生〉三則之二：

千古樵川水，重招丞相魂。文章肝膽在，社稷姓名存。

十議終何補，兩宮休更論。君王自明聖，臣子獨煩冤。

先世推西隴，何人割太原。輸金真左計，刺臂有危言。

我更悲坏土，長嗟過墓門。遺書成劫火，殘碣入田園。

〔註 38〕 以上見《宋史并附編三種新校本十六‧卷四百二十八‧列傳第一百八十七‧道學二‧李侗》，頁 12745～12748。

〔註 39〕 見《李延平集》，叢書集成初編，北京中華書局，1985 年（民 74）北京新一版。以下本論文各章所引用此書皆為同一版本，不再贅敘出版地、出版社與出版年。

　　華表無丁令，丹青付子孫。已醒三月夢，難叩九重閶。

　　鑄鐵汪黃錯，觀兵樊鄧屯。獨憐留血食，廟貌太師尊。

　　　　——〈《全臺詩》第陸冊，頁48〉

　　此首爲五言二十四句長律。李伯紀事蹟見於《朱子語類》。文中說：「李伯紀，徽廟時，因論京城水災，被出。後復召用，遂約吳敏，勸行內禪事。李恐吳做不得，乃自作文於袖中入，吳已爲之矣。後欽宗即位，用之。一日，聞金人來，殿上臣寮都失措，皆欲作竄計。李叩閤門入論，閤門立之。欽宗聞之，令引見。力陳禦戎之策，忠義慨然。上大喜，即擢知樞密院事。李英爽奮發，然性疎用術。欽廟用督太原師，適种師中敗，遂得罪。太上登極，建炎初召。汪黃輩云：「李好用兵，今召用，恐金人不樂。」上曰：「朕立於此，想彼亦不樂矣。」遂用爲相。後汪黃竟使言官去之，在相位止百餘日。」〔註40〕

　　又見於《宋史》說：「李綱字伯紀，邵武人也，自其祖始居無錫。父夔，終龍圖閣待制。綱登政和二年進士第，積官至監察御史兼權殿中侍御史，以言事忤權貴，改比部員外郎，遷起居郎歷。」〔註41〕又說：「『論曰：綱雖屢斥，忠誠不少貶，不以用舍爲語默，若赤子之慕其母，怒呵猶嗷嗷焉挽其裳裾而從之。嗚呼，中興功業之不振，君子固歸之天，若綱之心，其可謂非諸葛孔明之用心歟？』」〔註42〕

　　在學術思想上，李伯紀精通經學，其中對《周易》最有研究；又精於佛理，其中對華嚴經最有心得，一生努力於將儒佛合一。臺灣大學哲學系教授林義正說李氏：「他是位以儒家爲主，釋道爲輔的三教合一論者，這在宋代儒學意識抬頭的時代裡，是不見容於當時的道學界的，故後世寡道其學。」〔註43〕

　　鄭用錫此詩著重在對李伯紀政治上慷慨正直表現之敘述，對李氏在頹危亂世中奮然振作，極欲力挽狂瀾卻功敗垂成之遺憾，繫以無限感慨與敬佩。再說〈詠閩儒・蔡西山〉三則之三：

〔註40〕見朱熹：《朱子語類・卷第一百三十一・本朝五・中興至今日人物上李趙張汪黃秦》，臺北：正中書局，1882年，頁5031。以下本論文各章所引用此書皆爲同一版本，不再贅敘出版地、出版社與出版年。

〔註41〕見《宋史并附編三種新校本十六・卷三百五十八・列傳第一百一十七・李綱（上）》，頁11241。

〔註42〕見《宋史并附編三種新校本十六・卷三百五十八・列傳第一百一十七・李綱（下）》，，頁11274。

〔註43〕見林義正：〈李綱《易》說研究——兼涉其《易》與華嚴》合轍論〉，臺大文史哲學報，2002年12月，（『摘要』），頁1。

一卷參同契，讀書破萬行。測天知朒朓，吹律叶宮商。

河洛千秋祕，韜鈐百技長。先生能啖薺，老友許聯床。

忽下門人淚，何來御史狂。含沙多鬼蜮，胎禍豈文章。

風雨孤舟別，江湖去國忙。難忘蕭寺語，長慟道州亡。

斗酒空山酹，遺編敗篋藏。不孤屬吾道，小謫亦何妨。

有子稱同調，何人弔故鄉。九原應一慰，兩字迪功郎。

——《全臺詩》第陸冊，頁48）

此首爲五言二十四句長律。蔡元定生於宋高宗紹興五年（1135），卒於宋寧宗慶元四年（1198），字季通，建州建陽人。曾築室西山，學者尊之爲西山先生。《宋史‧蔡元定傳》說他「生而穎悟，八歲能詩，日記數千言」。他的父親蔡發博覽群書，號牧堂老人，「以《程氏語錄》、《邵氏經世》、《張氏正蒙》授元定，曰：『此孔、孟正脈也』，元定深涵其義。」蔡氏聽聞朱熹名聲，前往師之。朱熹以學扣問之，大驚說；『此吾老友也，不當在弟子』。於是與他對榻講論諸經奧義，每到夜半時分。四方來學者，朱熹必請他先從蔡氏質正之。蔡氏博覽群書，洞見義理大原，「古書奇辭奧義，人所不能曉者，一過目輒解」。當時韓侂冑擅政，「設僞學之禁，以空善類」，朱熹、蔡元定皆被詆。不久，蔡氏謫道州，州縣捕之甚急，蔡氏聞命，不辭家即就道，朱熹與從游者數百人餞別蕭寺中。杖屨同其子蔡沉行走三千里，腳破流血，卻面色不改毫無微言，道途中行走於楚、粵窮鄉僻壤，「父子相對，常以理義自怡悅」，最後不幸客死異鄉。韓侂冑既誅，追贈迪功郎，賜諡文節。

朱熹疏釋《四書》，作《易傳》、《詩傳》、《通鑑綱目》，都與蔡氏往復參訂，《啓蒙》一書則爲蔡氏起稿。其平生問學多寓於朱熹書集中。所著書有《大衍詳說》、《律呂新書》、《燕樂》、《原辯》、《皇極經世》、《太玄潛虛指要》、《洪範解》、《八陣圖說》，有朱熹爲之作序。〔註44〕

鄭用錫此詩，將蔡元定一生行事風格與學術思想作一整體回顧，一面對蔡元定爲堅持學術思想而遭迫害不勝唏噓，而說「含沙多鬼蜮，胎禍豈文章」；另一面也爲蔡氏過世後罪名終得解除，而且追贈迪功郎、賜諡「文節」感到欣慰。

總觀鄭用錫以上三首《詠閩儒》之詩，可知鄭氏對宋代閩地儒學有相當

〔註44〕以上見《宋史并附編三種新校本十六‧卷四百三十四‧列傳第一百九十三‧儒林四‧蔡元定》，頁 12875～12877。

深之認識，而若追溯其認識源頭，依筆者推斷，是因爲清代臺灣府縣廳學之
儒學教官，皆是由閩地調派而來，而這些學官在求學階段，對閩儒學說甚至
宋儒學說，在耳濡目染下一定多所接受；待到了臺灣，他們又將閩儒學說、
宋儒學說當作教材，傳授給臺灣本土儒生這乃屬自然，宜乎臺灣本土儒生，
亦因此而對宋代閩儒學及宋儒學認識深矣。筆者此推論，可用臺灣各府、縣、
廳儒學都有收藏宋儒著作，尤其是淡水廳儒學之藏書，幾乎一半都屬宋儒學
領域作爲證明，而鄭用錫正是出身淡水廳儒學之廩生。

（２）論儒家精神表現

《北郭園文鈔》總共有五篇文章，其中〈謙受益賦〉取儒學經典《易經》
之第十五卦〈謙卦〉爲論述內容，全文「以謙卦六爻皆吉爲韻」，敘述謙之美
德，在於「安不忘危，卑以自牧，有功不矜，有勞不暴，翼翼獨具，小心惴
惴，如臨深谷。月之滿者防或虧，器之欹者懼必覆。若泰山之納土壤也，繼
長增高；若尾閭之匯眾流也，兼收並蓄。」〔註45〕

除了文鈔一卷是古文，另外制藝二卷也是古文，名爲《述穀堂制藝》。《述
穀堂制藝》共分三卷，卷一有 23 篇、卷二有 12 篇，卷三有 13 篇，總共 48
篇，都是論儒學之作，卷一題名爲論語、卷二題名爲學庸、卷三題名爲孟子。

所謂「制藝」，也就是一般人俗稱的八股文，乃明清科舉考試制度下，所
規定的一種文體，又可稱爲時藝、時文、制義、四書文或八比文。制藝文不
但有一套固定格式，題目也必須出自《四書》、《五經》，內容與聖賢王道相關。
由此可見，鄭用錫的《述穀堂制藝》乃是爲應付科舉考試之作。楊浚在爲鄭
用錫《述穀堂制藝》所作之序中說：「稼田觀察既校刊其尊甫祉亭先生所著《北
郭園詩文鈔》藏事，復以制藝相示，因卒讀之，益歎先生之學根柢六經，矩
矱先正，不矜才，不使氣，而萬象包羅，應有盡有矣。」〔註46〕

在鄭用錫《述穀堂制藝》之 48 篇古文中，其中有 9 篇即爲他當年參加科
舉考試，在闈中所寫之古文。今試依其原典順序，列之如下以見之：〈冉子爲
其母請粟子曰與之釜請益至下原思爲之宰與之粟〉一文，鄭用錫在文題下自
註：「庚戌廳試首場擬作」；在〈發憤忘食樂以忘憂不知老之將至云爾〉一文

〔註45〕見鄭用錫：《北郭園全集（上）・北郭園文鈔》，臺灣先賢詩文集彙刊，第二輯
　　　　1，頁 36。
〔註46〕見鄭用錫：《北郭園全集（中）・述穀堂制藝序》，臺灣先賢詩文集彙刊，第二
　　　　輯 1，頁 197。

題下自註：「月課擬作」；在〈如有周公之才之美使驕且吝〉一文題下自註：「取進入學」；在〈無為而治治者其舜也與〉一文題下自註：「戊戌鄉墨」；在〈切問而近思仁在其中矣〉一文題下自註：「癸未會墨」；在〈明乎郊社之禮禘嘗之義〉一文題下自註：「戊寅鄉墨」；在〈知遠之近知風之自知微之顯可與入德矣〉一文題下自註：「癸未會墨」；在〈學則三代共之皆所以明人倫也〉一文題下自註：「戊寅鄉墨」；在〈入則孝出則悌守先王之道〉一文題下自註：「癸未會墨」。以上 9 篇都與科舉考試有關。〔註47〕筆者推測，此 48 篇制藝文應該是鄭用錫的教學講義，乃是用來教導學生如何寫作制藝古文之上課資料。

　　鄭用錫以上之制藝文，和大部分中國歷來之制藝文一樣，都是為應付科舉考試而作之樣板文。不過這些古文雖說千篇一律，脫離現實、詰屈聱牙、缺乏真實感情，但是在長期刻意模擬中國儒家古聖賢口氣之潛移默化下，書寫者也因此在無形中接受儒學思想，這種現象在當時清代臺灣士子身上顯而易見。這些士子從幼小啟蒙教育開始，便被循序漸進灌輸儒家思想，模仿古聖賢口氣作文，在本章前述《瀛洲校士錄》中，吾人所見到之本土儒生儒化現象，在此處也出現在鄭用錫身上。可見當時臺灣本土儒生之儒化現象，已然成為當時士子之共相，而非特例。

　　再說詩作方面。鄭用錫不僅古文出現儒化現象，在詩作方面也是如此。其論儒學與儒家精神之詩，大部分出現在試帖詩中，少部分則分散在一般詩體。先說試帖詩，所謂試帖詩，因詩名皆冠賦得二字得名，也稱「賦得體」，起源於唐代，受「帖經」以及「試帖」之影響產生，為科舉考試所規定之詩體。大多數為五言體排律，童試多為五言六韻，鄉試多為五言八韻，限韻腳，對於詩體結構或用典均有嚴格要求，而清代限制尤嚴。

　　鄭用錫之試帖詩可說是清代臺灣本土儒師中保存最完整者。其今存之試帖詩，全部共分卷一、卷二兩卷，分別依上平聲與下平聲順序排列，卷一為上平聲十五韻，卷二為下平聲十五韻。

　　先就上平聲來說。一東韻有 15 首詩，二冬韻有 7 首詩，三江韻有 5 首詩，四支韻有 28 首詩，五微韻有 7 首詩，六魚韻有 18 首，七虞韻有 17 首，八齊韻有 2 首，九佳韻有 2 首，十灰韻有 12 首，十一真韻有 16 首，十二文韻有 10 首，十三元韻有 3 首，十四寒韻有 10 首，十五刪韻有 10 首。總計有 162 首。

〔註47〕 以上見鄭用錫：《北郭園全集（中）‧述轂堂制藝》，臺灣先賢詩文集彙刊，第二輯 1，頁 197～398。

再就下平聲來說。一先韻有 16 首，二蕭韻有 6 首，三肴韻有 3 首，四豪韻 5 首，五歌韻有 11 首，六麻韻有 13 首，七陽韻有 21 首，八庚韻有 29 首詩，九青韻有 4 首詩，十蒸韻有 8 首詩，十一尤韻有 18 首詩，十二侵韻有 8 首詩，十三覃韻有 7 首詩，十四鹽韻有 4 首詩，十五咸韻有 7 首詩。總計有 160 首。

總計鄭用錫試帖詩之上、下平聲共有 322 首。其中論及儒學或含有儒家精神的，在上平聲譬如：一東韻之〈稼穡維寶〉、〈功懋懋賞〉、〈談笑可使中原清〉、〈憂國願年豐〉；四支韻之〈政如農功〉；六魚韻之〈臣心如水〉；七虞韻之〈大雅扶輪〉；十一眞韻之〈政在養民〉、〈組織仁義〉、〈苹鹿燕嘉賓〉；十二文韻之〈止戈爲武〉；十四寒韻之〈陳詩觀風〉、〈奉揚仁風二首〉等大約 14 首。

在下平聲譬如：五歌韻之〈政成在民和〉、〈孝弟力田〉；八庚韻之〈以禮制心〉、〈由庚〉、〈正誼明道〉、〈淨洗甲兵長不用〉；九青韻之〈束帶迎五經〉；十蒸韻之〈率土稱臣〉；十一尤韻之〈遜志時敏〉、〈尙書爲喉舌〉；十三覃韻之〈宵雅肄三〉、〈三筆六詩〉；十四鹽韻之〈長官齋馬吏爭廉〉等大約 13 首。〔註48〕

以上大約 27 首試帖詩，其中有以儒學經典或篇章爲詩題者，譬如〈尙書爲喉舌〉之《尙書》，即《書經》，爲儒學經典；〈束帶迎五經〉之五經爲儒學經典；〈由庚〉即〈由庚〉篇，爲儒學經典《詩經・小雅・南有嘉魚之什》之第三篇；〈宵雅肄三〉語出儒學經典《禮記・學記》，意爲習小雅之三等等。有截取古人名言爲詩題者，譬如〈正誼明道〉語出朱熹之《朱子語類・卷第一百三十七》：「先生曰：『正其誼不謀其利，明其道不計其功』」；〈遜志時敏〉語出《書經　・說命下》：「惟學遜志，務時敏，厥脩乃來」。也有表現儒家精神者，譬如〈組織仁義〉、〈奉揚仁風二首〉、〈以禮制心〉、〈孝弟力田〉、〈談笑可使中原清〉、〈淨洗甲兵長不用〉。另有表現君臣之義者，譬如〈苹鹿燕嘉賓〉、〈臣心如水〉。又有表現賢君仁政者，譬如〈稼穡維寶〉、〈功懋懋賞〉、〈憂國願年豐〉、〈政如農功〉、〈政在養民〉、〈陳詩觀風〉等等不一而足。

鄭用錫之試帖詩和中國歷來大部分試帖詩一樣，都是爲應付科舉考試而作之樣板詩，與其制藝文無大差異，也是脫離現實、詰屈聱牙、缺乏眞實感

〔註48〕以上見鄭用錫：《北郭園全集（下）・述穀堂試帖詩》，臺灣先賢詩文集彙刊，第二輯 1，頁 399～604。

情。筆者推測，上述 322 首試帖詩，應該也是鄭用錫的教學講義，乃是用來教導學生如何寫作試帖詩之上課資料。

3. 敘述教學相關情形之詩作

鄭用錫一生對臺灣之貢獻，非僅學校儒學教育或地方文教推動而已，他居鄉里樂善好施，對助修橋渡、賑濟貧寒、恤養孤寡，無不慷慨解囊。甚至在英艦於禁煙之役侵擾大安港時，自募鄉勇捍衛；在漳、泉分類械鬥時，親赴淡廳南北各莊排解糾紛等等，其事皆已備載於他的詩文著作或臺灣史冊中。筆者此處僅就其有關任教學校時所作之詩歌加以分析，以見鄭氏對臺灣儒學教育之貢獻。

鄭用錫約在道光九年到道光十四年（1829～1834），以及咸豐二年到咸豐七年（1852～1857），總計前後有十年時間在明志書院擔任教職。在今存之《北郭園全集》中，〔註 49〕便大概有三首記錄在此期間之教學工作，一為〈余主明志書院講席入都後代者為藻亭弟今春假還仍主之誌感〉二首，二為〈明志書院勗諸生〉。先說前者，〈余主明志書院講席入都後代者為藻亭弟今春假還仍主之誌感〉二首之一：

> 載酒仍看問字奇，再來漸覺鬢成絲。
>
> 追陪杖履趨榆社，慚愧丹鉛託絳帷。
>
> 少不如人何況老，才難信己敢稱師。
>
> 青氈本是吾家物，十載門牆共護持。──（《全臺詩》第陸冊，頁 69）

此詩為七言律詩。明志書院為臺灣北部第一所書院，最早在竹塹城北興直莊夾龜崙、八里坌兩山之間，為舊永定貢生胡焯猷宅。乾隆二十八年（1763）捐置義學，署同知胡邦翰想建為書院〔註 50〕。書院之命名，據閩浙總督楊廷璋〈明志書院碑記〉之說，乃是取意「惟是志在聖賢，義利無淆於慮；志存經濟，王霸必究其原。」冀望能成致遠之器。〔註 51〕後來因為原建書院距離廳治太遠，因此而有同知李俊原移建之議。乾隆四十二年（1777），同知王右弼牒將胡焯猷捐積穀價作為移建費。乾隆四十六年（1781），同知成履泰別購西門內蔡姓地基建造，計有一座三進，中為講堂，後祀朱子神

〔註49〕 資料參考鄭用錫：《北郭園全集》，臺灣先賢詩文集彙刊第二輯 1。

〔註50〕 見余文儀：《續修臺灣府志・卷八・學校・書院》，臺灣文獻叢刊第一二一種，頁 360。

〔註51〕 見余文儀：《續修臺灣府志・卷二十二・藝文（三）・記・閩浙總督楊廷璋：〈明志書院碑記〉》，臺灣文獻叢刊第一二一種，頁 814。

位，左右兩畔各房爲生童肄業之所。至於原來的書院則改爲義學。道光九年（1829），同知李愼彝重新改建。〔註52〕

此詩據《全臺詩》編者之一黃美娥按語，其稿本詩題爲〈余前掌明志講席迨遠宦京都歸藻亭弟代庖此後遂不另聘主講經十餘年矣今春故業仍還書此誌感〉。〔註53〕由此稿本詩題，讓吾人知道，明志書院當時前後由鄭用錫、鄭用鑑兄弟主掌，時間長達十多年不間斷。也因爲如此，鄭用錫在此詩最後二句說：「青氈本是吾家物，十載門牆共護持」。當此次由北京辭官回臺，鄭用鑑將教職工作交還給他，身爲兄長，又是前明志書院山長之鄭用錫，心中也不免喜憂參半。喜的是明志書院之教學工作得以再繼續傳承延續下去，憂的是自己漸覺髮鬢成絲，不知是否可以承擔重任。對此，鄭用錫借用《左傳·燭之武退秦師》中燭之武的話以自謙。全詩所表現，讓吾人見到一位謙退自居，堅守教育傳承責任之徇徇善誘儒師之風範。

而此種風範在〈余主明志書院講席入都後代者爲藻亭弟今春假還仍主之誌感〉二首之二中，又更清楚讓吾人見到：

> 十幾年前此講堂，依然函丈列門牆。
> 已無舊雨惟新雨，翻覺新場是故場。
> 謬負虛名推老輩，叨聯雅誼屬同鄉。
> 關情只在沖霄日，一縷斯文託瓣香。——《全臺詩》第陸冊，頁69）

此詩亦爲七言律詩。延續二首之一，鄭用錫在前四句說，回到十幾年前之明志書院，發現書院中之學生已經全是新面孔，不過坐在講堂上，一時之間彷彿又回到以前的講學情景。五、六兩句，他保持了一貫之謙退風範；而最後二句：「關情只在沖霄日，一縷斯文託瓣香」，鄭用錫說，能回報鄉親情誼的，只在弟子們沖霄凌雲之日能傳承這充滿馨香、不絕如縷的儒學傳統。

而也就是有這一份教學使命感，鄭氏在〈明志書院勗諸生〉中說：

> 多年解組寄浮漚，文字因緣一席留。
> 聊借毫端評月旦，敢誇皮裡有春秋。
> 賦成五色雖迷目，筆掃千軍始出頭。
> 我倘識途慚老馬，年年棧豆欲何求。——《全臺詩》第陸冊，頁90）

〔註52〕見陳培桂：《淡水廳志·卷五·志四·學校志·書院·明志書院》，臺灣文獻叢刊第一七二種，頁137。
〔註53〕見《全臺詩》第陸冊，頁69。

此詩爲七言律詩。詩中前四句，鄭用錫仍保持一貫謙虛風範，稱說自己多年奔波道路，因文字因緣，而得以獲邀到明志書院擔任講席；只能姑且藉由筆端評比學生文章好壞，豈敢自誇滿腹經綸。後四句延續前四句之謙虛自退口吻告訴學生，賦成五色絢爛之美文雖嫌迷人眼目，不過也唯有如此，才能橫掃千軍出人頭地；自忝爲識途老馬，年年棧留此處究竟所求何事？在此詩中，鄭用錫欲勗勉學生努力向學，腳踏實地琢磨詩文始能一舉成名天下知。然而全詩卻句句指稱自己，敘說自己數十年來之讀書經驗、應試心得。只在最後一句用「年年棧豆欲何求」，輕輕帶過自己一直留在明志書院之目的，乃在作育英才、傳承儒學，而非爲五斗米之故。鄭用錫希望藉由此詩以勉勵學生之苦心明顯可見。對在學生員，鄭用錫教學之用心吾人已見如前，而至於對生童又是如何，他在〈觀童子試喜賦〉中說：

今春歲校又逢期，局外人看局内棋。

小試如同新字女，阿婆尚憶少年時。

據鞍自盼心還壯，見獵猶欣鬢已絲。

寄語諸公須努力，高樓百尺此初基。──（《全臺詩》第陸冊，頁218）

此詩爲七言律詩。所謂童子試，乃指科舉時代在府、州、縣舉行之童生進學考試，合格者才能進入各府州縣儒學就讀，稱爲生員，即一般人所稱之秀才。它是科舉時代最初級之考試。詩中前四句，鄭用錫以輕鬆的旁觀者身分，看參加童子試之童生青澀猶如新嫁女。第五、六句，鄭氏自言看到這些應試童生，胸中之青雲大志尚在，而更可喜的是見到童生當中確實有可造就之才。因此他在最後兩句說：「寄語諸公須努力，高樓百尺此初基」，期望各儒師必須努力教育這些學生，因爲就科舉考試來說，百尺高樓這是最基層者。由此處，吾人再次見到鄭用錫對當時清代臺灣儒學教育發展之貢獻實非泛泛。

4. 敘述個人感懷之詩作

即使對當時臺灣之教育已盡最大努力投入，但在鄭用錫心中仍不免有遺憾之感，此遺憾大約來自兩方面，一方面來自清廷捐納學額之不當做法（將詳述於施瓊芳條），二方面來自清廷長期利用科舉考試方式，抑制儒學以外諸家學說，致使臺灣之學術發展產生嚴重失衡狀態。先說前者。〈刺時〉：

桃李春風沒處栽，泮宮今日盡蒿萊。

門眞如市沽應待，席果懷珍聘自來。

一紙揮毫同畫券，千金論價只輸財。

莫誇得意歸鄉日，索債人從背後催。——《全臺詩》第陸冊，頁219）

此詩爲七言律詩。詩中鄭用錫少見地用激烈言論抨擊清廷捐納學額之令人不齒做法。而此種惡法一開，影響所及便是整個黌門盡淪爲市場議價場所。鄭氏在此詩中一再反覆重述當時之怪現象：眞正有才學之人因家貧進不了儒學之門；相反地，儒學內盡是蠢劣無行者。鄉試學額以千金論價，只問輸財多少，不論才學如何。對此怪現象，鄭用錫又進一步在最後二句說：「莫誇得意歸鄉日，索債人從背後催」，他說，以鉅款捐貲而得以取中鄉試者，其實也不必誇口衣錦還鄉之榮耀，因爲討債人就在他背後緊緊地催逼。鄭用錫此詩，以儒師身分寫當時清廷政策失當，所造成之臺灣教育發展怪現象，可謂一語戳破了清廷溥施皇恩，增廣學額之假象。〔註54〕

　　而至於清廷長期利用科舉考試方式，抑制儒學以外諸家學說方面。此種情形在當時並非只有臺灣如此，考之清代科舉考試與儒學教育之相互爲用關係（已詳見本論文第二章），吾人知道這是清代沿自明朝並加以發揚光大者，乃是清代開國以來即實施之教育政策；至於臺灣，自康熙二十二年（1683）領臺之後，清廷亦將此套儒學教育與科舉方式，複製到臺灣實施（已詳見本論文第三章）。因此，這是終整個有清一代，包括臺灣在內，整個中國的教育與學術發展問題。今筆者試舉鄭用錫〈朽蠹〉一詩，以見當時鄭用錫對此現象所表達之滿心遺憾：

六經以外難窺測，老去方知學尚荒。

誰笑半生惟祭獺，漫陳百軸似搬薑。

可憐努力終無補，況值衰年更善忘。

〔註54〕　筆者按：根據《全臺詩》，鄭用錫稿本另收有〈感時〉一詩，詩曰：「秀才一個值三千，不論文章只論錢。利市襴衫當議價，膠庠弟子竟增員。莫誇司馬能掄士，須讓宏羊爲主權。剜肉原知非至計，那堪軍務望誰塡。」（見《全臺詩》第陸冊，頁 219），此詩所敘述之內容與〈刺時〉相類似，似乎是鄭用錫所作無疑。但是考之陳維英詩作，竟然亦有〈感時〉一詩，而且內容完全相同，此詩並有陳維英自註：「八月九日同林丈文翰舍人，同年邱湯臣、進士家鏡凡比部，及門家洞漁中翰，出都豫楚江回閩，途中漫興。」（見《全臺詩》第伍冊，頁 171），又似乎是陳維英之作品爲正確。不知是否因鄭、陳二人同時代，而且互有交往（譬如鄭用錫有〈陳迂谷中翰（維英）移居獅子嚴齋額曰棲野巢賦此贈之〉一詩贈給陳維英；而陳維英則有〈鄭祉亭春部大少君秋捷〉及〈鄭祉亭禮部姪鵬秋入泮〉二聯語贈給鄭用錫，而致作品有相雜情形。

自分此身成朽蠹，奈他嗜好在巾箱。——《全臺詩》第陸冊，頁61）

此詩為七言律詩。詩中一開始，鄭用錫即用「六經以外難窺測，老去方知學尚荒」，表達在當時除了屬儒學經典之六經以外，其他諸家學說難以接觸得到，因此用功了一輩子，如今年紀已老大，才驚覺學業還是荒廢無著。而以此句，吾人取之以與章甫在〈東觀讀未見書〉詩中所表現出來，當他讀到傳聞已久的《老子》一書時的欣喜不自勝、愛不釋手之狀相比較，其中真令人有天壤之別之感。至於第三、四句以下，到第七、八句詩的結尾，鄭用錫還是不斷重複，遺憾自己用盡一生精力，終究只是如祭獺、搬薑，作堆積文字遊戲罷了，而無其他矣。

除了用以上之詩繫慨自己心中不能遍讀諸家書之遺憾外，他在七言律詩〈自嘆〉之後面四句中，也有相同之慨歎，他說：「迂拘似我全無用，懶拙教人共笑癡。只有一經聊獨守，平生端未負鬚眉。」（見《全臺詩》第陸冊，頁72）另外在七言律詩〈愧感〉之第三、四句又說：「東觀有書羞未讀，南宮得路願徒償」（見同上，頁218）。

總合鄭用錫以上諸詩之意，讓吾人看到除了章甫之外，清領時期臺灣另一位世代以習舉業傳家的儒師。鄭用錫在詩作中與章甫一樣，表現出傳承儒學的沉重責任感，而這個責任，已經不僅是家學傳承而已，而且是學校教育的儒學傳承，和社會教育之儒學教化。也因此雖然他對清廷以儒學為學校教育的唯一教學內容表示不滿，但他還是不敢稍怠地以傳承儒學為己任。

（三）鄭用鑑

鄭用鑑生於乾隆五十四年（1789），卒於同治六年（1867）。字明卿，號藻亭，又號人光，淡水竹塹人（今新竹市人）。道光五年（1825）拔貢，候選州判。隔年（1826）禮部覆試，取中二等第七名，以教職選用。主講書院三十餘年，造就英才無數。協助從兄鄭用錫修《淡水廳志稿》，熱心地方文教建設，倡修文廟、文祠、明倫堂；對義倉、義渡、義塚之捐助均不遺餘力。咸豐三年（1853）因運津米有功，加內閣中書官銜。同治元年（1862）舉孝廉方正，六年（1867）卒，年七十九，入祀鄉賢祠。此處筆者試述其論儒學與儒家精神表現之詩作。

相對於從兄鄭用錫老來遺憾於一生獨守一經，鄭用鑑雖然也如清代臺灣其他諸儒師一樣，從小接受儒學教育，通過科舉考試取得科名而具儒師資格，並且擔任儒師；不過他在作學問上，似乎比其他儒師涉獵廣泛。

在他今日尚可見到之詩作中，他談到老子，而有〈題老子出關圖〉一詩，詩中說：「華髮蕭蕭兩鬢皤，青牛何事此經過。崑崙西去黃流遠，函谷東來紫氣多。文字五千存道德，雲山萬里向沙河。當初不是逢關尹，仙跡無聞奈爾何。」〔註55〕由此詩可見，鄭用鑑一定有讀過《老子》一書；談到楊朱與墨子，而有〈感詠三首之一〉之詩句：「楊子泣路歧，墨子悲練絲。腳根一不固，昭質能無虧。事過心輒悔，樂極情斯悲。願爭須臾忍，以寬清夜思。」〔註56〕由此詩可見，鄭用鑑一定有讀過《淮南子》、《墨經》二書。

他也談到《莊子》，但認爲莊子還是有所求，尚未完全通達，而在〈雜詩〉一詩中開頭便說：「朝菌無晦朔，蟪蛄無春秋。生機固自在，何知短與修。金石一何堅，草木一何柔。我關宇宙間，二物無時休。彭殤齊一泯，萬物隨化游。……莊生猶未達，涸轍意有求。」更談到佛家，並將它拿來與儒家聖賢教化之功相比，而在〈雜詩〉一詩中繼續說：「聖賢正乎陽，教化如洪爐。佛氏感乎陰，心性歸虛無。」又說：「佛意所孜孜，說亦未盡誣。三代上學術，王霸異規模。三代後學術，儒釋辨分途。宋儒談性理，每落禪家徒。吾亦求其是，心得誰可諏。」〔註57〕由此段詩句吾人可以知道，鄭用鑑不但接觸佛學，而且對佛家之說片面接受，甚至對宋儒學每每被發現摻用佛家禪理解說性理，持著保留默認態度。因此，鄭用鑑沒有如章甫一樣，跳出來爲宋儒學辯護，作詩強烈崇儒辟釋，稱說宋儒學之純正性；反而說：「吾亦求其是，心得誰可諏」，我也一直在尋找宋理學與禪學中間之分際，只是不知找誰分享心得。

1. 論儒學之詩作

不過如前面筆者所述，鄭用鑑畢竟還是儒學出身之人，儒學與儒家思想才是他一生行事之準則與依歸。以下筆者茲披尋他的詩作，並由其詩作中，觀其論儒學之說與表現儒家精神之情況。

在鄭用鑑現存詩作中並未見有試帖詩，不過他也有幾首論儒學之詩作，譬如〈讀性理書〉、〈讀《易》漫興〉便是。先說〈讀性理書〉：

　　雨響泉流樂不如，月明松柏勝旌旟。

　　誰能五十猶勤苦，日向山中讀舊書。——（見《全臺詩》第陸冊，頁252。）

〔註55〕見施懿琳：《全臺詩》第陸冊，頁290。
〔註56〕見施懿琳：《全臺詩》第陸冊，頁244。
〔註57〕見施懿琳：《全臺詩》第陸冊，頁257。

此首爲七言絕句。所謂性理書乃一概念說法，指的是宋儒的程朱道學與象山心學而言。明朝時胡廣等奉敕纂修《性理大全》，即將宋儒的程朱道學與象山心學合編，使朱子「道問學」與象山「尊德性」兩派得以匯通。而其所謂「性」乃指吾人之本性，所謂「理」乃指宇宙之天理；「性理」說，以人性爲核心，由人性貫通天理。透過人對性的知性與養性功夫，與宇宙共構成一個天人合一的本體世界。

　　鄭用鑑對宋儒之認識，吾人由他的〈讀宋儒語錄題後〉一文可以知道。他在文中說：「昔者儒先君子教人爲學，必以定靜端莊之工，爲治心養正之方；若夫施之於日用，而合其宜；見之於事人，而得其當。物至而理融，道來而順受。自非定靜端莊，積之有素，行之有成，鮮能體用兼賅，始終如一者也。」〔註58〕在此文中，鄭用鑑首先說到宋儒教人爲學，乃以「定靜端莊」爲功夫，來達到「治心養正」之目的。由此，鄭用鑑又進一步說，至於每個人，在日用事人方面，如果要合宜得當，物至理融、道來順受，也必須要「定靜端莊，積之有素，行之有成」，才能做到體用兼備，始終不變如一。由此文，吾人看到鄭用鑑不論爲學，或是日用事人，都欲透過「定靜端莊」功夫，以達到「治心養正」目的之一斑。

　　而「定靜端莊」功夫之所以可成，鄭用鑑說，乃因人之性「正而公者也」，又說：「存其所謂正而公者，而去其所謂邪而私者，此之謂擇善矣。精一以守之，中正以養之，持循戒懼于不聞不睹之際，此之謂愼獨而固執之矣。」〔註59〕

　　至於此「性」由何而來，鄭用鑑又有〈性習說〉一文，文中討論人的本性以及學習之問題。他在文章一開始便說：「甚矣！人之所習，不可不愼也。」又說：《論語》所謂「性相近，習相遠」之「性」，並非先儒所說的「氣質之性」，而應該是「天命之性」，因爲天命之性只有一個，安得又有氣質之性可言；相反地，氣質乃承受自天命之性，是主宰氣質的；而若推究此其中最初之本始，則「性」人人皆相近。最後鄭用鑑在文中引孟子之言，也認爲今人、行道之人、乞人本性都相近，「只要愼其所習耳」，也就是說人必須持守本性，謹愼所習。〔註60〕就是因爲對性理已有此了然於心之領悟，因此鄭用鑑在上述詩中，用「日向山中讀舊書」透露他對宋儒性理說的研究，並非一朝一夕

〔註58〕見《全臺文（四）・鄭用鑑：〈讀宋儒語錄題後〉》，頁367。

〔註59〕見《全臺文（四）・鄭用鑑：〈誠明務學解〉》，頁389。

〔註60〕見《全臺文（四）・鄭用鑑：〈性習說〉》，頁400。

之事，而是從年輕時即從事之者。次說〈讀《易》漫興〉：

> 兩間陋屋好閒居，參透關元樂自如。
> 變化卦爻欣自得，湛明經術實堪儲。
> 若能棲止身爲鳳，何必奔馳食要魚。
> 人見此間無五畝，誰知藝圃本寬舒。──（見《全臺詩》第陸冊，頁252。）

此首爲七言律詩。鄭用鑑學術方面涉獵頗廣，擅長《易經》，著有《易經圖解》、《易經易說》，又有〈讀《易經》〉、〈程朱《易》說異同〉、〈八卦方位考〉、〈先儒言《易》詳於觀變玩占之說〉、〈雜說・其一〉等單篇短文，今皆收於《靜遠堂文鈔》中。

鄭用鑑除了著書、寫文章討論《易經》外，他用詩作敘述對《易經》的體會。詩中他盛讚《易經》經術湛精明澈，值得深入飽覽研究，而自己在參透變化萬端的卦爻關鍵後，心中了然自得。雖然所居住的，只是兩間不到五畝的簡陋房子；雖然爲了生活不得不奔波勞苦。但是「誰知藝圃本寬舒」，在這裡可以讀書、可以創作，所耕作的藝圃已經屬寬敞了。由此詩，吾人可以感受到鄭用鑑對《易經》的閱讀，已經不是當作學術研究而已，而是將《易經》所隱含的精神帶入自己生命中，消融生命塊壘，豐富生命情味。

2. 談儒家生命情味表現之詩作

前面已述，鄭用鑑畢竟不是信奉出世精神之釋道人物，他的生命情味乃來自儒家五倫關係之可以實現與圓滿，吾人試看他在〈感興雜詩〉二首中如何說：

> 人生有至性，忠孝爲本原。莫測天地德，難答君父恩。
> 白日照今古，浩浩此乾坤。勳業亦浮雲，富貴安足論。
> 空山有木石，形質塊然存。男兒初識字，已種憂患根。（二首之一）
>
> 日力常苦短，世情常苦長。名教有樂地，胡爲放達狂。
> 分陰良可惜，非以供壺觴。精神宜自寶，非以資嬉荒。
> 隨時崇令德，斯爲愛景光。（二首之二）──（皆見《全臺詩》第陸冊，頁289）

此二首，前一首爲五言十二句長律，後一首爲五言十句長律。在此二首詩中，鄭用鑑由本性論認爲，人有至性而以忠孝爲其本原；又道出一個讀書識字的士子之責任，當從小被分別出來接受教育，成爲四民之首的「士」時，便註定要爲家國承擔更多的憂患與責任。因此他生命情味之豐富，來自報答「君

父恩」，來自「名教樂地」，來自「隨時崇令德」。鄭用鑑說，這樣才能稱得上
是「愛景光」，也就是愛惜眼前美景與光陰之意。同樣表現儒家精神，鄭用鑑
又在〈偶成〉二首說：

> 聰明福澤氣深沉，上有丹砂下有金。
> 萬事無如名教樂，千秋常繫古人心。
> 家風清白儒爲貴，世味酸鹹境要深。
> 養我浩然元氣在，莫將俗物敗胸襟。（二首之一）

> 一洗書生氣味酸，得人容易得天難。
> 無邊風月吾廬大，脫略形骸世網寬。
> 自謂羲皇胸浩浩，相逢堯舜意漫漫。
> 昇平世界詩書業，誰撥山中芋火丹。（二首之一）

> ──（皆見《全臺詩》第陸冊，頁 242）

此二首皆爲七言律詩。二首詩意連貫，烘托出了鄭用鑑儒家思想的精神樣態。
第一首一開始便說：「聰明福澤氣深沉，上有丹砂下有金」，要永保一個人的
聰明福澤之氣，可以藉由煉丹服食而獲致；但在第二首最後兩句卻說：「昇平
世界詩書業，誰撥山中芋火丹」在這太平安定之世代裡，勤讀儒家詩書典籍，
得取功名事業才是正途，又有誰會想去深山燒火煉丹？而在這個儒家精神
下，鄭用鑑說，萬事以能實踐名教爲最樂，要時時以古人之心爲心；要維護
家風清白，唯有以儒學爲貴；對世間冷暖的體悟境界要高，要洗去腐儒的書
生氣習；要培養浩然之氣，脫略俗世形骸。如果能夠做到這個地步，鄭用鑑
說，就可自謂是羲皇上人，而與堯舜精神相接了。

　　總觀以上詩作，吾人可以感受得出，鄭用鑑爲學務求博覽，由博覽中開
拓眼界與胸次境界，最後則仍然回歸儒學，取儒家精神作爲自己的行事準則
與依歸。而正因爲鄭用鑑的學問不單是以儒學爲唯一鑽研對象，使得他的儒
學詩比起當時其他儒師的儒學詩，讓人讀起來更有情趣與興味，也因此筆者
將他選出作爲代表清領時期臺灣本土儒師之一。

（四）陳維英

　　陳維英，生於嘉慶十六年（1811），卒於同治八年（1869）。陳培桂《淡
水廳志》說：「陳維英，號迂谷，大隆同人，原籍同安。受業伯兄舉人維藻，
伯兄歿，柩厝山麓失火，無敢近者，維英獨從火中推柩出，爲優行生。咸豐

初年，舉孝廉方正。己未（按：即咸豐九年（1859）），中本省鄉試。以舉人捐內閣中書，尋改主事，分部學習。回籍團練，累保至四品銜賞戴花翎，曾主仰山、學海書院掌教。所著《偷閒集》未行世。」〔註61〕

連橫《臺灣通史》說，陳維英少年入泮，博覽羣書，與伯兄維藻有名於庠序之間，性友愛，而敦內行。又說陳維英在咸豐初年舉孝廉方正，咸豐九年（1859）復舉於鄉，嗣任閩縣教諭，「多所振剔」，捐俸重建節孝祠。秩滿，捐內閣中書，分部學習。歸籍後，掌教仰山、學海兩書院。同治元年（1862），因戴潮春之役而與紳士合辦團練。〔註62〕

1. 敘述教學相關情形之詩作

張子文《臺灣歷史人物小傳》說，陳維英，字石芝，一作碩芝，亦作實之，號迂谷，淡水廳大龍峒港仔墘（即今北市大同區大龍峒）人。道光八年（1828）為臺灣道劉重麟取進臺灣府學，始獲入泮，為鄭用鑑門人。又說，陳維英在辭官回臺後，先後掌教明志（新竹）、仰山（噶瑪蘭，今宜蘭）、學海（艋舺）等書院，以教讀為業。其弟子遍於淡蘭各地，其門生著者有李望洋、李春波、張書紳、陳樹藍、陳霞林、鄭步蟾、潘永清、曹敬等，乃以「陳老師」之稱名於當世。〔註63〕

（1）在村塾教書

依楊添發根據《登瀛文瀾渡台始祖族譜》所說，陳維英約在道光十七年（1837）至道光十八年（1838）期間，開始在村塾教書。〔註64〕在這段時間，他有〈警諸生〉、〈半雞〉、〈嘲薄待塾師〉、〈有感〉等詩之作。而這些詩正反映了當時清代臺灣社會基層教師之辛苦。〈警諸生〉二首：

> 館裡翻同傀儡棚，卻將嘻笑當書聲。
> 詩多作賊文蠻語。滿眼狐狸亂戰爭。（二首之一）
> 黃鵠紛心放不求，三郎非睡即閒遊。
> 教人究莫使人巧，善奕從茲笑奕秋。（二首之二）

〔註61〕見陳培桂：《淡水廳志・卷十六・志餘》，臺灣文獻叢刊第一七二種，頁452。
〔註62〕見連橫：《臺灣通史・卷三十四・列傳六》，臺灣文獻叢刊第二輯，頁982。
〔註63〕見陳維英：《太古巢聯集》，臺灣先賢詩文集彙刊第四輯所轉引《臺灣歷史人物小傳》資料，臺北：龍文出版社，2006年，目錄前一頁。以下本論文各章所引用此書皆為同一版本，不再贅敘出版地、出版社與出版年。
〔註64〕見楊添發：《陳維英及其文學研究》，私立銘傳大學應用語文研究所中國文學組碩士論文，民國95年2月，頁33。

　　　　——（見《全臺詩》第伍冊，頁194）

此二詩爲七言絕句。陳維英當時約二十七、八歲，出身臺灣府學諸生，初爲人師，面對一羣尙懵懂好玩的兒童，陳維英生動描寫了當時上課時的情景：整個教室簡直變成遊樂場，兒童嬉笑、睡覺、閒遊，一刻也靜不下來；作出來的詩粗魯不雅，左顧右盼投機取巧。看著眼前這羣頑皮學生，陳維英似乎也莫可奈何，不過與其說陳維英心裡覺得失望挫敗，放棄不管，不如說他對學生寬厚包容，因爲他說「教人究莫使人巧，善奕從茲笑奕秋」，他一方面自我解嘲，巧妙運用《孟子·告子（上）》內容，把自己比喻成戰國時代最會下棋的奕秋，教人究竟無非是要使人靈巧，但在這羣頑童面前，即使有再高的教書技巧也無法使出功夫來。另方面警惕學生要體會老師教導之殷切，認眞學習，否則到最後恐怕要一無所成。

　　而相對於對村塾兒童頑皮的寬厚與包容，他對村童家長的吝嗇小氣，便似乎是有話直說，毫不客氣了。〈半雞〉：

　　　　一跐分甘小子齋，慇勲直當束修攜。

　　　　爾曹欲得文章力，不料淮陰無半雞。——（見《全臺詩》第伍冊，頁193）

此詩爲七言絕句。陳維英自註：「每逢佳節，小子常以半雞相遺。」此詩陳氏反用司馬遷《史記·卷九十二·淮陰侯列傳第三十二》漂母進飯典故。稱說當年淮陰侯韓信少年時貧賤挨餓城下，都尙且有漂母分食，讓他得以倖存；而今自己課學村塾，到了佳節卻只見家長殷勤招呼，而不見帶來半隻雞相贈解饞。言下之意，當時陳維英似乎心裡頗爲不悅。而此種對兒童家長的不悅，在〈嘲薄待塾師〉六首中，更是明顯地透露：

　　　　八九童蒙蜂一窠，未除乳臭教吟哦。

　　　　修金薄更小錢夥，膳米稀尤積粰多。（六首之一）

　　　　一年數節半無儀，過卻端陽節更奇。

　　　　扇面百文儀一百，算來倒乞百錢虧。（六首之二）

　　　　終歲全無肉味聞，豈徒三月不知云。

　　　　況衣無澣床無帳，王猛蝨兼吳猛蟲。（六首之三）

　　　　會文訪友或回家，觸怒東君大罵譁。

　　　　罵道明朝麾使去，定應街上唱蓮花。（六首之四）

　　　　姑借牛攔挂絳帷，待師如待牧牛兒。

　　　　天教子弟心茅塞，盡變成牛報不移。（六首之五）

從頭計算罄錢囊，僅可粗供一歲糧。

草草蝸廬輸稅重，先生還要典衣裳。(六首之六)

——(見《全臺詩》第伍冊，頁 201)

此六首為七言絕句組詩。六首前後所言皆繞著一個主題，即家長對待塾師過於吝嗇小氣。在吃的方面，「膳米稀尤積稗多」、「終歲全無肉味聞」，三餐只有被混滿稗子的稀飯可吃，全年更聞不到肉香味；在衣與住方面，「況衣無澣床無帳，王猛蝨兼吳猛蟲」、「姑借牛欄挂絳帷」，無人可代為洗衣，眠床也沒有蚊帳可掛，以致天天被蝨蟲叮咬，而課學用的教室也破爛有如牛棚；在對待塾師之態度方面，陳維英在第四首中描寫得逼真淋漓，他說若偶而出去會文訪友或回家一趟，便會觸怒家長大聲叫罵，聲稱明天就把你辭去，讓你在街上當乞丐唱蓮花落；在薪資方面，「修金薄更小錢夥」、「一年數節半無儀」，平常微薄的修金少得不能再少，一年數節沒有半點饋禮，尤其是過了端午重陽之後更奇怪，「扇面百文儀一百，算來倒乞百錢虧」，被要求寫字畫，單是扇面本錢就百文，而所給的文儀也只有一百，陳維英生氣地說，算來還倒貼一百錢。而最後一首，陳氏更是道盡清代臺灣基層教師生活上的困窘，算來算去薪資只夠一年吃用，家族小小一點薄產，賦稅卻重得不得了，為了繳稅，為人師的還必須把衣服拿去典當。

其實依楊添發根據多項資料所說，陳維英家族經濟應該頗寬裕。其祖父陳埰海，渡臺後在淡水行醫，累積不少財富，後來分產給四個兒子，陳維英父親陳遜言是長子，將分到的四百銀元拿來招募夥伴，經商作米行及布帛生意，也賺了不少錢；並把錢也分給七個兒子，陳維英居第四，也分到「敏記」商號。〔註 65〕由此判斷，陳維英當時的家庭經濟狀況，當不致於到要典衣繳稅地步。因此筆者認為，他此詩頗有為天下儒師作喉舌發聲之意味。

而除了薪資極低之外，清代臺灣基層教師另一個隱憂，便是學生家長不肯續聘，陳維英以下此詩道出了他們的辛酸無奈。〈有感〉：

小店安閒住幾年，逍遙自在佛中仙。

貨財不管增和損，坐領香煙與紙錢。(四首之一)

兩載移來村塾中，冥冥庇佑豈無功。

任勞任怨偏難免，關係諸生通不通。(四首之二)

〔註 65〕見楊添發：《陳維英及其文學研究》，私立銘傳大學應用語文研究所中國文學組碩士論文，民國 95 年 2 月，頁 17。

神心縱愛後生賢，難向寒窗代著鞭。

位置書齋雖得地，不如村店更安然。（四首之三）

我來入學與公同，我已奉公返店中。

去去來來公與我，公須憐我我憐公。（四首之四）

——（見《全臺詩》第伍冊，頁 192～193）

此四首詩為七言絕句組詩。陳維英自作序言：「本塾所祀魁星像，原置東家店中，因予設教奉入館，解館後仍奉歸店中。今予又將解館，聊書以誌概。」陳維英此詩反映了當時清代臺灣社會的魁星信仰。中國魁星信仰起源於明代科舉制度盛行，清代民間也多有供奉者。清代臺灣的魁星信仰即由渡臺漢人傳入，祂的形象一手拿筆、一手捧斗、左腳向後踢起。民間普遍相信，只要被魁星用筆點中就能金榜題名、名利雙收。陳維英此四詩將魁星擬人化，我就像魁星，魁星就像我，兩個被安排在村塾的作用相同，都是要讓學生能夠茅塞頓開、學業大進；只不過，陳維英說，這其中的任勞任怨雖然難免，而學生的能不能進步，還是取決於學生肯不肯用心，因為畢竟「神心縱愛後生賢，難向寒窗代著鞭」，縱然希望學生能更好，但是寒窗苦讀，除非自己願意，否則別人難以代勞。最後，陳維英不禁可憐起自己，也可憐起魁星，道出當時儒師的最大難處，來來去去總是仰賴學生家長決定，自己完全無法自主。

（2）赴福建閩縣儒學擔任儒師

結束了村塾教職，陳維英有一段時間到福建閩縣儒學擔任儒師，他在《太古巢聯集・學堂・自題閩縣學署》中，自註說：在道光乙巳年（1845）春初，「余參權司教篆」，也就是說他任職閩縣教諭。在今日吾人可見到之陳維英詩作中，並未有關於他這一段教學工作之紀錄，不過在《太古巢聯集》中，卻總共有七首〈學堂・自題閩縣學署〉〔註 66〕之聯語，每首皆表現出他對儒學之尊崇，或對教學工作之善盡職守，今試舉出其中五首以見之：

受孔子戒

近聖人居——（〈學堂・自題閩縣學署〉七首之二）

陳維英在聯語中自述，一生學問乃來自儒家，出自孔門；而在閩縣儒學教書，每天接觸儒學經典外，居住之處也靠近宋儒朱熹之故里。由此聯語，吾人可以感受得出陳氏對儒學尊崇之意。

〔註 66〕見施懿琳：《全臺詩》第伍冊，頁 265。

而以下七首之三，則反映了當時陳維英之心境與志向：

> 鄭虔乘一馬
>
> 伯起集三鱣——（〈學堂·自題閩縣學署〉七首之三）

陳維英此首聯語，上下兩句皆用典故。上句以盛唐之鄭虔才高卻窮窘位卑自比，言自己目前雖只是居廣文館為廣文師而已，但與鄭虔一樣甘之如飴；下句則以東漢博學正直著名，人稱「關西孔子」的楊震自比，言希望自己以後也能成為一位清廉之官，造福百姓。陳維英在此聯語中，表現出來對身為廣文師之自得其樂，但也不失其待時機而鴻鵠高飛，志向遠大之襟懷。因此他在以下二首聯語中說：

> 藉廣文之冷署
>
> 陪庠士以溫經——（〈學堂·自題閩縣學署〉七首之四）

> 心曾盟白水
>
> 志不墜青雲——（〈學堂·自題閩縣學署〉七首之五）

七首之四的「藉廣文之冷署，陪庠士以溫經」，與上首之「鄭虔乘一馬」語意連貫；七首之五的「心曾盟白水，志不墜青雲」，與上首之「伯起集三鱣」語意連貫。吾人由此三首聯語，可看出當時之陳維英，既滿足於儒師工作，又有待機而起的青雲之志。至於最後一首：

> 門下多栽桃李
>
> 途中勿種荊榛——（〈學堂·自題閩縣學署〉七首之七）

此聯陳維英上下二句皆用譬喻，以「桃李」比喻賢才，以「荊榛」比喻劣生。他自註此聯語，說：「道光乙巳年（1845）春初，余參權司教篆勉期稱職恐負庭訓，謹題楹帖以自警，願後之秉鐸者，匡余所不逮焉。」吾人由此聯語，再參以其自註，可以感受得出當時之陳維英，對這份教職抱有使命感，原因來自其父陳遜言對他儒師工作的叮囑。而由此聯亦讓吾人知道，當時清代臺灣，本土儒師對傳承儒學之努力與承擔。

（3）主掌仰山書院

至於他何時任職仰山書院？自來有各種不同說法，若依楊添發所說，陳維英應該是在道光二十九年（1849）任職仰山書院。以下試看他的〈喝馬仰山書院記事〉一詩：

> 拓土開疆廿載營，版圖初入我初生。

楊公始建鱣堂迥，朱子重修鹿洞成。

學海共源懷梓里，仰山對峙表蘭城。

席前地接文昌府，門下天生武庫英。

枉坐虎皮談易竭，自慚馬骨相難精。

增額月課辛勤校，指摘雷同仔細評。

養士貴無寒士氣，衡人做不得人情。

芭苴屏卻青氈冷，首蓿烹來白水清。

教重身心輕翰墨，儒先經術後科名。

恐荒豚犬三餘業，忍唱驪歌一曲聲。

東道攀輿行且止，北郊張樂送如迎。

蒼蒼雲樹百回首，槐市風光夢寐縈。──（見《全臺詩》第伍冊，頁 161。）

此詩爲七言二十句長律，詩中陳維英自己作了十三個註解。先說明喝馬仰山
書院之沿革形勢，乃由楊廷理太守創建，朱丹園司馬重修，而與陳維英家鄉
的學海書院同源，都屬淡水學，書院和文昌宮毗連；次說自己在仰山書院課
學情形，陳維英自承此處是精英萃集之地，因此更加努力給學生加課，仔細
指出學生抄襲雷同處加以示戒之；再說自己課學原則，堅持辭謝餽贈過淡泊
生活，認爲儒師教學最主要在「重身心」，而儒生學習要先學「經術」。最後，
陳維英說因爲家書催促回家鄉教子弟而不得不離開書院。由此詩，吾人看到
陳維英在爲學與爲師格局上的變化，十一年前初爲人師之青澀、無可奈何窘
境，十一年後蛻變成器象恢弘，有原則、甘淡泊的徇徇善誘儒師。而許多知
名於當時之士子，也在他教導下出類拔萃。

除了有〈喝馬仰山書院記事〉一詩，以記其在仰山書院之教學情形外，
陳維英又有〈祠‧仰山書院乙酉年作〉六首聯語，〔註 67〕聯語中或勉勵學生，
或策勵自己，亦明顯反映出陳氏對持守儒家精神之執著，亦試舉其中三首以
見之。先看前二首：

仰不愧俯不祚道中人存心當求如是

山可移海可填天下事有志何患難成──（〈仰山書院〉六首之一）

〔註 67〕目前所可見之陳維英《太古巢聯集》版本皆作道光乙酉年，但道光乙酉年爲
西元 1825 年，陳維英才 14 歲，以當時清代臺灣對書院師資之要求，陳氏不
可能接掌仰山書院，因此筆者同意楊添發說法，「乙」爲「己」之誤。己酉年
爲道光二十九年（1849），當時陳氏 38 歲。六首皆見《全臺詩》第伍冊，頁
215。

　　分敢曰師望諸君攻瑕以石

　　名既爲士願我輩鍊行如銅──（〈仰山書院〉六首之二）

此二首聯語都是一面勉勵學生，一面策勵自己。上一首陳鐵厚爲陳維英作註「道中人」，一作「士君子」；「天下事」一作「大丈夫」。語中涵意，陳氏勉勵學生也策勵自己，身爲一位知識階層士子，須有仁君子之坦蕩存心，和大丈夫之堅強擔當。下一首之上句，陳維英自謙忝爲人師，希望學生能切磋琢磨以修身，下句又期勉學生要淬煉砥礪，讓自己美行如銅之堅定。而下面這一首聯語，則反映了陳氏身爲儒師，對學生所持之原則與教導：

　　做不得人情論文衡品

　　養無窮士氣入孝出忠──（〈仰山書院〉六首之四）

上句陳維英道出自己的教學原則：不作人情、不徇私、不護短，秉持公正態度評論學生文章；培植士子養成浩大志氣，能夠在家盡孝、在國盡忠。

　　又另外，陳維英用「地接文昌府，門多武庫才」（〈仰山書院〉六首之五），形容仰山書院文風鼎盛、人才匯萃；用「誓心白水，接踵青雲」（〈仰山書院〉六首之六），形容自己安貧樂道甘之如飴，作育人才助梯青雲之用心。

　　用以上五首聯語，對照〈喝馬仰山書院記事〉一詩，吾人可發現其中意涵相通，精神連貫，可見陳維英當時心中所思所想，唯有如何善盡儒師之責以化育人才一事而已。

（4）主掌學海書院

　　陳維英何時出掌學海書院，自來也有多種說法，大約說來，若據楊添發所作結論，時間應該是在咸豐十年（1860）以後。雖然在其詩作中亦不見有這一段教學工作之作品，但在聯語中則保存了兩首。今亦試舉出以見之。〈祠・學海書院〉二首：〔註68〕

　　學知不足教知勤自反自強古人云功可相長也

　　海濟於後河濟先或原或委君子曰本其當務之──（〈學海書院〉二首之一）

根據陳培桂《淡水廳志》說：「學海書院，在艋舺街南，原名文甲，道光十七年（1837），同知婁雲議建草店尾祖師廟北畔，未果行。是年，復據林國琣捐獻地基在下嵌莊，即今所。董事爲周智仁等，因控案延廢。二十三（1843）同知曹謹續成之。二十七年（1847）總督劉韻珂巡臺，易以今名。同知曹士

〔註68〕二首皆見施懿琳：《全臺詩》第伍冊，頁215。

桂親爲院長。同治三年（1864）十月重修。四年（1865）閏五月告竣，共費銀一千八百一十四圓。除同知王鏞撥罰款三百五十六圓外，尚應一千四百五十八圓，院長陳維英勸捐。」〔註69〕

此首聯語上下二句分別用典，而且巧妙將典故文字溶化在聯語中。陳鐵厚註：「勤」，一作「困」；「濟」，均一作「祭」。上句引用《禮記・學記》：「是故，學然後知不足，教然後知困；知不足，然後能自反也，知困，然後能自強也。故曰：『教學相長也』。」下句引用《論語・學而第一》：「君子務本，本立而道生。孝弟也者，其爲仁之本與？」在此首聯語中，陳維英策勵自己也勉勵學生，要不斷學習，教然後知困而自立自強；作事要有先後順序，孰先孰後、孰重孰輕亦當自知。君子必須先做到孝弟，因爲它是仁的根本。而二首之二則延續二首之一的意涵：

　　　敦孝弟而說詩書道宗孔孟

　　　盡性命以參化育學究天人 ——（〈學海書院〉二首之一）

陳維英說，學海書院教導學生敦厚孝弟之道，講解詩書六經之義，其說皆本於孔孟；務使學生能恪盡與天俱來之良善本性，參贊天地化育美德，探究天人古今之變化。由此二首聯語，吾人見到了陳氏當年主掌學海書院時，其教育學生之教學內容，以及人格培養之一斑。

（5）成立樹人書院

從閩縣儒學返臺之後，陳維英除了先後主掌仰山書院、學海書院，而留下多首詩作及聯語外；陳氏又在咸豐三年（1853），於保安宮成立「樹人書院」。有言，清代大龍峒人在保安宮內供奉文昌帝君；又有言，保安宮原是清朝大龍峒地區學童上學之地。而據楊添發田野調查，訪問陳家後裔陳應宗之說：「陳遜言（按：乃陳維英之父）於保安宮內創立樹人書院，設朱子牌位，藏書萬卷，延請名師教導陳維藻及鄉間弟子，陳維藻才得以考中舉人，時間早於陳維藻中舉。」〔註70〕

吾人若整合以上諸說，或許當時的情形是：陳遜言在保安宮設立私塾，延請名師教育自家子弟，以及鄉間兒童作爲讀書之地；到了陳維英時，遂在

〔註69〕見陳培桂：《淡水廳志・卷五・志四・學校志・書院・學海書院》，臺灣文獻
　　　　叢刊第一七二種，頁139。
〔註70〕見楊添發：《陳維英及其文學研究》，私立銘傳大學應用語文研究所中國文學
　　　　組碩士論文，民國95年2月，頁39。

此處成立樹人書院，廣泛教育大龍峒地區學子。而筆者所以有這個推測，是因陳氏在聯語中，有〈學堂・家塾〉六首，[註71] 六首所敍述之內容，與陳家後裔陳應宗所說之言有相通之處。譬如：

　　國恩科自選

　　家寶案頭書——〈〈學堂・家塾〉六首之一〉

　　治家通國政

　　養子識親恩——〈〈學堂・家塾〉六首之三〉

此二首便是陳應宗所說，陳遜言為栽培兄長陳維藻應科舉考試而設私塾，讓陳維英感受到父親恩情偉大，又譬如：

　　堂有高人榻

　　門多長者車——〈〈學堂・家塾〉六首之四〉

便是陳應宗所說，陳遜言延請名師在私塾課學。又譬如：

　　置身百尺樓上

　　放眼萬卷書中——〈〈學堂・家塾〉六首之五〉

便是陳應宗所說，陳遜言在私塾中藏書萬卷。

　　當然這當中也有不合之處，譬如陳遜言所供奉為朱子牌位，而保安宮內所供奉則為文昌帝君，朱子牌位是否為當時陳遜言另外加進去的，因年代久遠，一時無法作進一步考證，筆者亦姑置之矣。

　　（6）祝賀學生入泮

　　陳維英因為長期從事教職，所培育人才多成俊秀，因此他也有許多慶賀學生入泮之詩，譬如在一般詩體中，有〈曹生敬甫入泮〉（《全臺詩》第伍冊，頁197）、〈施生希尹入泮〉（見同前，頁197）、〈張博雲入泮〉（見同前，頁197）、〈贈潘永清入泮〉（見同前，頁197）、〈賀陳霞林中舉〉（見同前，頁198）、〈賀李起鳳入泮〉（見同前，頁198）、〈賀君治宗友生冠軍遊泮〉（見同前，頁199）、〈雞籠謝生錫五入泮〉（見同前，頁199）。至於聯語，目前收集在《太古巢聯集》中的，更有36首之多，其中有為學生而作、有為友人而作、有為兒子而作，也有代替別人而作。

　　以上這些內容，亦如一般之祝賀入泮詩一樣，幾乎都是千篇一律，其中不免也有應酬溢美之辭。不過，也如章甫之入泮詩一樣，其中對學生的期勉鼓勵，亦足以見出為人師者之一片誠心。譬如〈曹生敬甫入泮〉：

〔註71〕六首皆見《全臺詩》第伍冊，頁 266。

　　　小試休誇屢冠軍，士先論品後論文。

　　　梅因骨勁不驚雪，竹以心虛易入雲。──（見《全臺詩》第伍冊，頁197）

此首爲七言絕句。曹敬，生於嘉慶二十三年（1818）卒於咸豐九年（1859），名興欽，號愨民，淡水八芝蘭（今士林）舊街人。與關渡黃敬合稱爲「淡北二敬」。

　　在詩中，陳維英以老師身分，祝賀方入泮之弟子曹敬。而除了祝賀，陳維英更勗勉曹敬，不可誇耀考試屢次得第一，士子須先論品德再論詩文，要培養剛強骨氣才能不畏惡劣環境，要謙虛爲懷才能上到最高層。陳維英對曹敬之勗勉，後來似乎也成爲曹敬教育學生之座右銘，曹氏設帳教學以敦品爲本。

2. 敘述個人感懷之詩作

　　儘管對教學充滿使命感與熱忱，儒家精神支撐著他，讓他安貧樂道甘之如飴，然而面對長期經濟壓力，與一籌莫展之未來出路，陳維英仍然與其他儒師一樣，對自己以儒師身分作育人才，卻仍不免要遭受困頓而興發許多感懷。譬如〈齋中書事〉二首，陳維英便反映了他的教書生涯點滴，先說第一首：

　　　地僻途紆少故知，青山綠水寄遐思。

　　　執經弟子多恂謹，糾過無人惜別離。

　　　病後還斟澆塊酒，閒來偶索閉門詩。

　　　書聲驚破黃梁夢，恍悟浮生盡若時。

此詩爲七言律詩。詩中陳維英敘述了教書生活之平凡簡單。在偏僻迂遠之地朋友少往來；所教導之學生大多能規矩敬謹，卻沒有能糾過舉善之知己；病後無聊，只好仍然斟酒澆心中塊壘，閒暇時關起門來搜腸索詩；偶被學生誦書聲驚破黃梁夢，恍惚間醒悟自己的人生就是如此了。而第二首，陳維英則感嘆生活貧困，他說：

　　　偶蓺金爐一炷檀，澄心點坐復長歎。

　　　蓬茅半破秋風屋，苜蓿空盛朝日盤。

　　　識字始知非快活，求錢真箇是艱難。

　　　薄思處世無長策，效作嗣宗白眼看。──（皆見《全臺詩》第伍冊，頁171）

此詩亦爲七言律詩。詩中的陳維英顯然落入經濟困窘之低潮情緒中，他說，偶而點起一炷檀香，想靜下心來打坐，卻又不禁長歎；房屋蓬茅半破，盤中

空盛苜蓿；如今始知讀書識字並非快樂之事，因為想要賺到錢真是不容易；
而既然想不出處世良策，只好效法阮籍，將世事藐然視之。

而以下的〈寒食偶成〉一詩，陳維英也發出相類似之感嘆，他說：

> 百五韶光寒食天，無花無酒興蕭然。
>
> 諸生祭掃俱歸里，夫子寂寥幾入禪。
>
> 飯冷青精廚禁火，盤供苜蓿日生煙。
>
> 來朝況值清明節，貪逐蠅頭只自憐。──（見《全臺詩》第伍冊，頁173～174）

此詩為七言律詩。在此詩中，陳維英值此清明寒食節，因為學校放假讓諸生
返鄉掃墓，空蕩的空間使得他更加覺得空虛寂寥，生活一樣清苦，無花無酒
興味索然，盤中只有苜蓿可供餐。面對此種光景，陳維英最後不禁為自己為
追逐蠅頭小利而過此種生活感到自憐。

綜合陳維英以上詩作，讓吾人再次看到清代臺灣本土儒師，與當時宦臺
的學官一樣，他們在傳承儒學的神聖使命背後，其實隱藏著對無法跨越貧窮
之萬般無奈，以及因貧窮所帶給他們士氣上的嚴重打擊。

（五）施瓊芳

施瓊芳生於嘉慶二十年（1815），卒於同治七年（1868），年五十四歲。
由〈施瓊芳年齒〉圖版〔註72〕知道，施氏初名龍文，字見田，一字昭德，號
珠垣，在家排行第五，臺灣府學廩膳生，臺灣縣治（今臺南市）人，原籍晉
江縣。道光十七年（1837）拔貢，不久登鄉試。道光二十五年（1845）恩科
進士。辭官未就，乞養回臺，不久出任海東書院山長，鑽研性理之學。重視
家庭倫理，恭敬孝友，尤其熱心地方活動，樂善好施。

1. 敘述世代以習舉業傳家之詩作

施瓊芳家族世代以書香傳家，太高祖施朝誠康熙三十五年丙子（1696）
科舉人，曾叔祖施甯世乾隆十二年丁卯（1747）科舉人、揀選知縣，父親施
菁華為國學生，二兄龍光為邑庠生，四兄龍章為國學生。施瓊芳重視家庭倫
理、恭敬孝友精神，常常表現在他的詩文中。

先說文章方面，在今存的施瓊芳《石蘭山館遺稿》中，有〈祖塋重修告

〔註72〕見施瓊芳：《石蘭山館遺稿》，臺灣先賢詩文集彙刊第一輯1，臺北：龍文出版
　　　　社，1992年（民81）。以下本論文各章所引用此書皆為同一版本，不再贅敘
　　　　出版地、出版社與出版年。

竣賽土神文〉〔註73〕、〈先府君墳塋修竣敬告祭文〉〔註74〕、〈太高祖暨姚氏連太叔祖德沛公墳塋修竣祭告文〉〔註75〕三文。此三文乃施氏重修祖墳塋告竣時之祭文，文中對先祖孺慕之情溢於言表，如在〈先府君墳塋修竣敬告祭文〉中提到其父渡臺後，在臺灣落地生根，訓示子孫，讀書傳家之情形，他說：「一葦渡瀛，義而能得。蘭養酬勠，穀詒垂式。」又說：「聽訓期聰，珍書寶櫝」。施氏在文詞中充滿對父親景仰之意。

　　而在詩作中，他有〈寄贈內子〉（見《全臺詩》第伍冊，頁389）、〈別內〉二首（見同前，頁389）、〈送四兄昭玉六弟昭澄附海舟西歸晉省應試鄉闈〉（見同前，頁383～384），以及〈西歸晉京稟辭母親〉（見同前，頁380）等詩。前三首給妻子，第四首給兄弟，第五首給母親。在〈寄贈內子〉中，施瓊芳說：「慰得征衣縫線意，勝他詩錦織文才。知卿花卜歸期願，雙拜萱堂上喜杯。」此詩爲七言律詩，此處所引爲後面四句，施氏此次遠行乃爲赴科舉考試，在詩中他表達了對妻子的感謝；也告訴妻子，期待能得功名返家後，與妻子在高堂雙拜母親，獻上賀喜之酒。在〈西歸晉京稟辭母親〉中，他說：「綵服征袍換不同，高堂別酒賜春紅。兒身風雪關山苦，都在慈心想像中。」此詩爲七言絕句，施氏此次爲赴科闈離家，母親早就知道兒子的一路辛苦，而事先爲他周全打點了一切所需。由以上所引諸詩之詩句，都讓吾人看見清代的臺灣在儒學教育下，科舉考試成了士子魚躍龍門的唯一途徑，其家族成員無論男女老少，一切生活步調也都配合著這件事情而進行或改變。至於〈送四兄昭玉六弟昭澄附海舟西歸晉省應試鄉闈〉一詩，則更表現了上述精神：

> 片帆滄海閣，遊子盼征軺。綵服辭親出，清樽祖道邀。
> 友生憑手握，同氣最魂銷。琴瑟離堂譜，壎箎別曲調。……
> 德綸頒僻滋，恩榜啓皇朝。多士材爭奮，吾家志亦超。
> 壯哉心破浪，逸矣氣凌霄。習武休嫌俗，談經漫笑樵。……
> 南宮將赴棘，西渡更歸橈。待作還鄉宴，纔驅上計軺。
> 和怡仍燕喜，聲價愧蜂腰。競爽分優劣，相歡在寓僑。
> 晨昏睽愛日，寒暑感移杓。世澤榮科目，慈闈福冀徼。

　　　　　　──《全臺詩》第伍冊，頁383～384）

〔註73〕見同上，（清抄本）頁17。
〔註74〕見同上，（清抄本）頁19～20。
〔註75〕見同上，（清抄本）頁101～102。

此詩為五言一百句之長律。此處所引為第一句至第八句、第二十一句至第二十八句，以及第八十九句至第一百句。在前八句中，施瓊芳敘述四兄與六弟因要應試鄉闈，因此一起附海舟西歸閩省，他敘述了當時臺灣士子為參加鄉試，必須千里迢迢渡海到閩省應試之況。在中間八句中，施瓊芳敘述臺灣士子，在清廷開放臺灣文、武科舉名額以後，不論文、武生，大家莫不振作興起，而四兄、六弟也不例外，壯志凌霄，欲試身手。在最後十二句中，施瓊芳敘述了自己對四兄、六弟的祝福與叮嚀，也反映了當時臺灣士子階層，將中第視為光宗耀祖的唯一不二法門之情狀。

2. 論儒家精神表現之詩作

至於施瓊芳詩作中論及儒家精神者。他與清代臺灣本土儒師一樣，大部分出現在試帖詩中。施氏試帖詩共分四卷，依序分別置於卷十九、卷二十、卷二十一、卷二十二中，試帖一有 28 首詩，試帖二有 27 首詩，試帖三有 28 首詩，試帖四有 28 首詩，四卷共計有 111 首。〔註 76〕

其中譬如〈政貴有恒〉、〈詩正而葩〉、〈河海不擇細流〉、〈陽禮教讓〉、〈政如農功〉、〈恭儉維德〉、〈興廉舉孝〉、〈稼穡維寶〉、〈師直為壯〉、〈諸生講解得切磋〉、〈度己以繩〉、〈忠孝狀元〉等，便都與儒學有關。

而其中表現儒家精神者，譬如〈陽禮教讓〉、〈恭儉維德〉、〈度己以繩〉、〈忠孝狀元〉、〈師直為壯〉便是。表現賢君仁政者，譬如〈政貴有恒〉、〈政如農功〉、〈稼穡維寶〉便是。又以上這些詩，與一般試帖詩一樣，有截取古人名言為詩題者，譬如〈詩正而葩〉，便是出自唐・韓愈〈進學解〉：「《易》奇而法，《詩》正而葩。」一語；譬如〈河海不擇細流〉，便是出自秦・李斯〈諫逐客書〉：「是以泰山不讓土壤，故能成其大；河海不擇細流，故能就其深」。

施瓊芳之試帖詩與中國歷來大部分試帖詩一樣，都是為應付科舉考試而作之樣板詩，脫離現實、詰屈聱牙、缺乏真實感情，只有少部分具有深刻意涵，今試舉〈度己以繩〉以見之：

> 接人先度己，荀子論宜徵。緣識心為準，端資法若繩。
> 木因從克正，絲以直堪稱。古治同茲結，身修儼與兢。
> 中規文記禮，絜矩道傳曾。常恐毫釐失，毋差累黍增。

恭懷銘帶鑒，寬凜佩弦懲。經緯欽皇建，群黎頌日升。

　　——（見《全臺詩》第伍冊，頁465）〔註77〕

此詩爲五言十六句長律。全詩以荀子〈勸學解〉：「木直中繩，輮以爲輪，其曲中規，雖有槁暴，不復挺者，輮使之然也。故木受繩則直，金就礪則利，君子博學而日參省乎己，則智明而行無過矣。」爲宗旨而發揮之。施瓊芳說，待人接物要先整飭自己，要明白荀子話中道理；以心作爲緣識之準則，以禮法作爲行事之開端；效法古人而修身，便可與古人競美；中規中矩，以禮爲文，以身傳道；要存戒愼恐懼，以防失之毫釐差之千里。施氏在此詩中表現出純然的儒家誠正修齊精神。至於最後四句，則是試帖詩之樣板結尾頌辭，無關全詩宏旨。

3. 敘述教學相關情形之詩作

施瓊芳在道光二十五年（1845）取中恩科進士後辭官未就，乞養回臺，不久出任海東書院山長，鑽研性理之學。或許是爲書院課學關係，在今日可見資料中，他也有111首試帖詩傳世。而在課學之餘，他也熱心地方文教工作，因此也留有數篇記事詩文。此處姑就與儒學或儒學精神相關之記事詩文敘述之，以見施氏對臺灣儒學教育發展之貢獻。

（1）參與地方文教活動

黃典權說：施瓊芳博學，著述盈篋，生前皆未付梓，林豪曾爲董理，不過乙未之役稿作大多散佚，僅存《春秋節要》、《詩文全集》，其子施士洁攜渡內地。士洁卒後，其子奕疇檢之回臺南故里，又從施氏後裔處發現《石蘭山館遺稿》，視爲珍寶，爲之鈔錄、標點，釐爲二十二卷。〔註78〕以下筆者所採集之原典，即皆出於龍文版之《石蘭山館遺稿》。

在《石蘭山館遺稿》中，施瓊芳與儒學教育相關之詩文，在記事文方面，大約有〈臺郡加廣學額中額志略〉〔註79〕、〈廣學開書院賦〉〔註80〕、〈谿西社祀朱子祝文〉〔註81〕、〈祀文昌朱子合祝文〉〔註82〕、〈虎岫東樓中秋祭魁

〔註77〕又見同上，（清抄本）頁562。
〔註78〕見施瓊芳：《石蘭山館遺稿》之黃典權〈石蘭山館遺稿〉簡介，臺灣先賢詩文
　　　　集彙刊第一輯1，臺北：龍文出版社，1992年（民81）。
〔註79〕見同上，（清抄本）頁3。
〔註80〕見同上，（清抄本）頁213。
〔註81〕見同上，（清抄本）頁1。
〔註82〕見同上，（清抄本）頁13。

星祝詞〉〔註83〕、〈谿西社文昌祠修竣祝文〉〔註84〕等六篇文章。在記事詩方面，大約有〈臺陽上元日奎樓春祭魁星〉、〔註85〕〈虎岫眞武觀樓上九日祠文昌〉〔註86〕等二首詩作。今試分述如下：

先說前者，施氏在〈臺郡加廣學額中額志略〉中，概述當時臺郡依清廷「各直省捐貲保圍例」規定，須捐貲三十萬兩始能加文武鄉試定額一名，幸當時宦臺提督學政徐宗幹，以「以海外一郡宜另核」上奏，因此後來接續徐宗幹之位的提督學政裕鐸，得以將十五萬兩先上之清廷，而在咸豐五年（1855）「增其一」。至於文武學額，則仍視他州廳縣，加一次者每名以二千兩爲率，加永遠者每名以萬兩爲率。裕鐸主持當次歲科考試，既舉行，以暫加之例，後來陸續得捐貲銀數四十八萬餘兩，復奏清廷，終得增臺灣解額二名，永遠學額二十一名。

上述施瓊芳這一段志略資料彌足珍貴，因爲就中國歷史角度來說，它印證了清代咸豐初年以來，清廷在內憂外患交逼、國庫空虛下，不得不巧立各種名目向百姓開捐，而其中最令人不齒者，便是捐納學額一事。又就清代臺灣教育史來說，此事雖然在《文宗顯皇帝實錄》中有紀錄，〔註87〕不過短短數字，其中始末並未載明；而施瓊芳此文則讓吾人知道，當時清代臺灣教育，雖然清廷做法不當，不過在背後，幸有一群宦臺儒官、地方鄉紳，仍苦心孤詣努力配合，共同籌措貲金，一再上奏，務期臺灣教育得以繼續發展下去。

再說〈廣學開書院賦〉，在此賦中，施瓊芳肯定廣設書院對推動臺灣儒學教育之重要性。他說，書院之設置，原爲輔助府、縣、廳儒學之不足，以化隆禮樂；又說，因此書院教育學生「講鹿港之規條，禮嚴四勿；聘鴻儒爲模範，學勗三餘。」必須用規條、四勿約束學生行爲，聘請博學鴻儒以教學生。最後結語並說，至於講學內容更要講求，必須「合虞、夏、商、周之學，名異實同；統關、閩、濂、洛之修，規行矩步。衡文考德，秉月旦以至公；型俗訓方，美風聲之克樹。」施氏中進士後辭官未就，歸臺後不久即出任海東

〔註83〕見同上，（清抄本）頁 15。
〔註84〕見同上，（清抄本）頁 97。
〔註85〕見同上，（清抄本）頁 334。
〔註86〕見同上，（清抄本）頁 365。
〔註87〕見《文宗顯皇帝實錄・卷一百七十二・咸豐五年七月十三日》：「以福建捐輸軍餉，永廣臺灣府閩籍鄉試中額一名。」臺北：臺灣華文出版社，1970 年（民59）影印版，頁 2893。

書院山長，長年任教之故，使他更知道書院在臺灣教育發展上之不可或缺角色，因此而有此篇廣設書院之賦。而由此賦，也讓吾人更知道施氏對臺灣教育之關注。

　　而〈谿西社祀朱子祝文〉與〈祀文昌朱子合祝文〉二篇祝文，施瓊芳則明顯表現了對朱子之敬重。他在〈谿西社祀朱子祝文〉中推崇朱熹是「嶧山以後之道統，待其人而後傳；河洛以後之學術，極其功而後全。天之篤生夫子也，特使斯文己任，集大成於儒先。」施氏說孔孟以後之道統，因朱熹而得以傳承；宋理學之學術，因朱熹而後完備，可謂集大成之儒者。又在〈祀文昌朱子合祝文〉中，將朱熹與文昌帝君並列，頌揚朱熹之功與文昌帝君等齊。

　　至於〈谿西社文昌祠修竣祝文〉、〈虎岫東樓中秋祭魁星祝詞〉二文，以及〈臺陽上元日奎樓春祭魁星〉、〈虎岫眞武觀樓上九日祠文昌〉二詩，施瓊芳則反映了清代臺灣社會在儒學教育發達，人人重視科舉考試之環境下，士子階層所流行之一種類宗教性精神信仰。臺灣的魁星與文昌信仰乃由內地漢人帶入，在民間流傳已久，當時的書院或村塾經常會隨俗供奉魁星；而文昌信仰自從陳璸在康熙五十二年（1713）建文昌閣於朱子祠後面以來，在臺灣便與文廟、書院結合在一起，兼具教化與神聖功能。雖然祂們與儒學無直接關係，卻因儒學教育而產生，故筆者在此一併提及之。

（2）學校之教學

　　由於長期在書院擔任教職，施瓊芳對學生之要求與殷切期盼之情，也因此格外深刻，吾人試看他的〈諸生講解得切磋〉：

> 講解諸生計，情殷祭酒韓。切磋經有藉，磨琢石猶完。
> 蘚碣奇文字，槐街古服冠。丁鴻資辯藪，亥豕釋疑團。
> 說恐毫釐誤，功眞骨角殫。毓成芹藻秀，勝似棗梨刊。
> 虎觀談何易，駝車載不難。埏埴霑聖教，實學勵儒冠。

　　　　——（見《全臺詩》第伍冊，頁458）〔註88〕

此詩爲五言十六句長律試帖詩。施瓊芳以儒師身分，教導學生作學問方法。詩中一開始，施氏先告訴諸生，自己欲教導諸生如何研習經書之心，殷切有如國子祭酒韓愈；以下他說研習經書首要在必須有憑有據，切勿斷章取義、

〔註88〕見施瓊芳：《石蘭山館遺稿》，臺灣先賢詩文集彙刊第一輯1，頁536～537。

支離破碎；要努力探究異書奇文，效法古代槐街儒生好學之風；希望諸生藉由彼此切磋辨明是非，解開似是而非之疑惑；要有真功夫，最擔心的是因失之毫釐而差之千里；接著施氏又說，若能培育出優秀人才，欣慰心情甚乎自己著作付梓；虎觀講經不容易，居高官反而簡單；最後，施氏勉勵諸生，儒學聖教霑被天地，希望書院諸生要腳踏實地學習，以使學問厚實。此詩處處用典，藝術技巧高而涵義醇厚雅正，可謂施氏試帖詩中之佼佼者。

吾人由施瓊芳生平事蹟，知道他也是出身於一個家學淵源的書香世家，家族對科名之重視與追求，不遑多讓於章甫與鄭用錫；而且也知道他和當時許多儒師一樣，不僅對於學校教育充滿使命感，更熱心投入社會教育工作。吾人由筆者所選出之施瓊芳〈諸生講解得切磋〉詩作中，應該不難看出他對書院諸生之教導，其用心之深、期望之高，儼然已將傳承儒學之重責大任一肩扛起。

（六）李逢時

李逢時生於道光九年（1829），卒於光緒二年（1876），享年47歲。字泰階，臺灣噶瑪蘭廳（今宜蘭）城廂人。咸豐十一年（1861），三十三歲，辛酉科拔貢。性警敏，少時好遊藝。既長，奔走府、州、縣，並曾遠渡福州，常常行役於外。咸豐七年（1857），二十九歲時，與族弟李春波同置栖雲別墅於蘭城西五里許枕頭山下，多種果樹，每值桃李盛開，輒邀朋儕作文酒之會。咸豐九年（1859）春，三十一歲，應某故交延聘，設帳授徒。同治元年（1862），三十四歲，應孔昭慈學政之聘作幕賓。〔註89〕

李逢時之儒學詩，表現在他對儒學教育之個人感懷方面。考之王國璠、高志彬所撰〈李逢時生平介紹〉，及盧世標所編〈李孝廉逢時年表〉，雖然不知李逢時擔任教職之時間持續多少年，但是由他曾經設帳授徒，以及曾經任職孔學政幕賓來看，可知李逢時除了有儒師經驗外，也有儒學教育行政經驗，因此在他的文章中，便有一部分反映了他對科舉取士之看法。

李逢時有〈銅貢賦以銅貢立文魁區賦為韻〉一文，依盧世標〈李孝廉逢時年表〉所說，此賦作於同治二年（1863），當咸豐末葉，因清廷軍需乏用，遂諭飭各

〔註89〕 參考李逢時：《泰階詩稿》，臺灣先賢詩文集彙刊第三輯8，詩稿中所附之王國璠、高志彬所撰〈李逢時生平介紹〉，目錄前一頁；及盧世標所編〈李孝廉逢時年表〉，臺北：龍文出版社，2001年（民90），頁161。以下本論文各章所引用此書皆為同一版本，不再贅敘出版地、出版社與出版年。

省開捐例，因此殷富之戶，納貲捐貢生銜，藉以炫燿鄉里，名曰例貢，李逢時因此作賦諷之。〔註90〕在〈銅貢賦〉中李氏自言作此賦是「安得不爲斯文掃地而興悲，爰集俚句而作賦也哉」。因此其賦中之文辭眞率俗白，單刀直入毫不掩飾。賦文一開始，李氏用隱喻法，說有來自福州之貢生，名曰銅，「曾進財於榕省，誇好貨於蘭中。匾額則字鑴聖旨，頭銜則名廁學宮。」接著李氏說明原委，銅貢緣何而來？他說：「原夫己未之年，軍需乏用」。而對這種用捐貲換貢之做法，李氏很直接地批判清廷，他說：「官銜儘可發兌，選舉何須愼重。布政司貨眞價實，交關者童叟無欺。」也輕蔑地嚴厲諷刺納貢者，而用「文章眞掃塵埃」、「肆無忌憚」、臥犬臥羊」、「中看不中用，儼然銀樣之蠟鎗；忝子使忝錢，幾似駑駘之戀棧。汝其搖頭擺尾，果然衣袖生風；吐氣揚眉，那曉聲名敗露」、「其出身之來歷，也則有娼子、婊子、兔子、鹿子之流；其慣練之家司也，則有光棍、土棍、地棍、訟棍之路。赤犬何妨假鹿，休誇斬尾之刀；蒼蠅未必殺人，只恨穢腸之故。」等等話語詆毀之。〔註91〕

究之李逢時會有此賦之作，筆者認爲除非身在其中，受其怪現象之害，不然無法如此深刻。前此吾人據年譜已知李氏咸豐九年（1859）設帳授徒，十一年（1861）取中辛酉科拔貢生，同治元年（1862）應孔學政延聘作幕賓，前後總共至少有三年時間，他不是擔任儒學教師，就是從事與儒學教育相關之行政工作，尤其當時他剛通過多年寒窗苦讀之拔貢考試。爲此，面對滿清之顢頇無知，投機份子之甚囂塵上，也難怪李逢時會有如此激烈之文辭出現。

由〈銅貢賦〉中，吾人除直接看到當時清廷與投機份子之醜陋外，也間接知道當時儒學教育與儒師不受重視之一斑。也因此，出現在李逢時詩作中之儒學教育詩，他一如其他儒學教師，詩中盡是感慨之抒發。譬如〈己未（1859）之春作〉：

> 邇來三十載，賢書不獲薦。半世猶蹉跎，忽忽如流電。
>
> 故人謬推許，請以束脩見。延我坐山齋，殷勤爲安硯。
>
> 從遊十數輩，朝夕授經傳。嗟予生不辰，白屋守貧賤。
>
> 舌耕得蠅利，錙銖何足羨。——（見《全臺詩》第玖冊，頁33）

此詩爲五言三十句古詩，此處所引爲第十一句至第二十四句。詩中李逢時對自己儒士身分感到失望，因爲三十年來，即使有好文章好見解也不獲推薦，

〔註90〕見同上，頁161。
〔註91〕見同上，頁156～157。

好不容易才在故交延聘下擔任教師，靠著教十幾個學生勉強過活。他感嘆自己生不逢時，感嘆自己只能守著空無一物的屋子過貧賤日子。不過面對自己窮到無立椎之地，李氏反而覺得守住正道更重要。他在〈貧居〉二首中說：

> 不到奇窮品不高，業儒終鮮富而豪。
>
> 囊中一向無長物，范叔甘寒愧贈袍。
>
> 不是爲儒便要寒，財容易得義爲難。
>
> 樽中有酒錢無用，富貴家私外府看。——（皆見《全臺詩》第玖冊，頁 61）

此二詩爲七言絕句。據李逢時《泰階詩稿》抄本之繫年，〈貧居〉二首作於同治壬戌元年（1862）。〔註 92〕而此年即李氏應孔學政延聘作幕賓之時，吾人由「囊中一向無長物，范叔甘寒愧贈袍」、「不是爲儒便要寒，財容易得義爲難」可以想像，李氏應聘擔任幕賓，絕對不是爲功名利祿，而是心中自有一番抱負欲舒展。至此，吾人若回頭看筆者上開所引之〈銅貢賦〉，也就可以更理解，爲何李逢時要用激烈幾至罵黑之文辭表達自己內心之不滿了。

　　而以下〈癸亥（1863）書齋題壁〉四首，顯然是接續以上〈己未（1859）之春作〉、〈貧居〉二首、〈銅貢賦〉等感慨而來，李逢時在詩中四首之一，以及四首之二說：

> 食力全憑此硯田，舌耕難得是豐年。
>
> 求吾大欲吾何敢，八斗無從質一錢。（四首之一）

> 野性兒童不就羈，誰教長大讀三餘。
>
> 多才僅可師村塾，風雨雞窗聽讀書。（四首之二）
>
> ——（皆見《全臺詩》第玖冊，頁 65～66。）

此二詩爲七言絕句。由四首之一「食力全憑此硯田，舌耕難得是豐年」，以及四首之二「野性兒童不就羈」、「多才僅可師村塾」，筆者推斷李逢時當時仍然擔任教職，且是生活唯一收入來源。他感嘆在現實社會裡，以教書維生之人很難有豐厚收入，不敢奢求好的生活享受，因爲即使才高八斗也值不到一文錢。而面對一群調皮不就範小孩，李逢時眞是不免爲他們擔心，究竟還有誰可以教導他們好好把握時間勤學努力。

　　由李逢時以上六篇詩文，吾人一方面又再次看到清代臺灣儒學教育在實

〔註 92〕見同上，頁 63。

施方面的人謀不臧，前此鄭用錫在〈刺時〉中所抨擊的捐納學額弊端，在此處李逢時亦忍不住用〈銅貢賦〉加以諷刺；另一方面吾人也再次感受到當時臺灣本土儒師，在社會地位極度卑微、生活所需嚴重不足下，所必須忍受的身心煎熬。

（七）李望洋

李望洋，生於道光九年（1829），卒於光緒二十七年（1901）。字子觀，號靜齋。其宋代始祖李珠，為觀文殿大學士李綱之孫。李綱傳李孟。李孟傳李珠，李珠官提督。再數傳之後，嘉慶九年（1804），李望洋之曾祖、祖父、祖母、父親等相偕自南靖吳宅故里東渡臺灣，最初居於擺接二十八張庄，道光六年（1826）其祖父因閩、粵械鬥，挈眷遷往噶瑪蘭廳頭圍保頂埔庄（即今宜蘭縣頭城鎮頂埔里），以務農維生，遂入為蘭籍。八歲開始受書，嘗從祖母鄭氏讀。十六歲時，從父命負笈堂叔景芳家，從朱品三受業，深受激賞。咸豐四年（1854），二十六歲，以院試取進淡水廳學為附生。咸豐九年（1859），三十一歲，鄉試中舉，陳肇興、陳維英、李春波等亦在同榜中。同治十年（1871），四十三歲，考取大挑一等，籤分甘肅知縣，後又歷任渭源、河州、狄道州等官。返鄉後熱心參與鄉務，主講仰山書院。〔註93〕

李望洋之儒學詩，表現在他論儒家精神方面。李望洋籤分甘肅知縣後，在隔年，也就是同治十一年（1872）即逢院試，他以知縣身分擔任閱卷，在九月十五日夜與黃畊翁考校院試試卷，在首場閱畢後月下散步，而有〈壬申（1872）九月十五日夜在玉尺堂同黃畊翁考校試卷首場閱畢步月有感〉一詩抒感，詩中說：「玉鏡高懸掄士地，金針暗度聚奎樓。文章半是逢青眼，場屋能無嘆白頭。」此詩為七言律詩，此處所引為中間四句，他以知縣身分閱卷掄才，也不免感慨科名之事，有一半成分端賴是否得到閱卷者之青睞。

而在同一月，依〈李靜齋先生年譜初稿〉之說，當時他在貢院。〈試院憶菊〉二首、〈敷教在寬〉、〈佳士如香固可薰〉、〈安危須仗出群才〉等詩作即作於此時。

前二首〈試院憶菊〉為抒情詩，以菊花為主題抒發情感；至於後三首則是表現儒學精神之詩。先說〈敷教在寬〉：

〔註93〕以上見李望洋：《西行吟草·李靜齋先生年譜初稿》，臺灣先賢詩文集彙刊第二輯4，臺北：龍文出版社，1992年（民81），頁3～58。以下本論文各章所引用此書皆為同一版本，不再贅敘出版地、出版社與出版年。

有教原無類，敷之在以寬。道齊皆德禮，老少共懷安。

善誘因成美，程功戒畏難。從容施孔鐸，循序讀周官。

化雨先芹泮，春風繼杏壇。心惟期不倦，術更覺多端。

旦夕休言效，賢愚合可觀。聖朝宏造士，濟濟慶彈冠。

　　──《全臺詩》第玖冊，頁117～118）

此詩為五言十六句長律，李望洋自註：「貢院內擬作」。李氏當時為知縣身分，而由詩中口氣，筆者認為是在對學官說話。他告訴學官，教育本來就是有教無類，教導學生時態度要寬大，使大小學生都能心思意念安定；要循循善誘，不怕困難；要一步一步施以儒學教育，循序漸進教導學生誦讀《禮記·周官》；而春風化雨之功就由泮宮開始，只要心中不厭倦，便能有更多的教學內容可以開展；不要求速成，那麼不管賢愚皆能有可觀成就。而相對於對儒學教官之叮嚀，李望洋對泮宮儒生也勉勵有加，〈佳士如香固可薰〉：

自命非凡士，佳哉品異常。可人還似菊，薰我固如香。

坐久神俱遠，心清味轉長。開襟皆馥郁，親炙盡芬芳。

德以馨為貴，情因淡益彰。芝蘭初入室，桃李快稱觴。

吐屬文言艷，甄陶大器良。願攜風雨袖，聯步到朝堂。

　　──（見《全臺詩》第玖冊，頁118）

此詩為五言十六句長律。若由李望洋年譜來看，李氏擔任儒師的時間並不長，而且都屬短期性質。一是在道光二十八年（1848），二十歲時，他設館訓蒙以養雙親，白天殷勤訓課，晚上則溫習舊業，每至三更五鼓，如此維持有五、六年之久。二是在咸豐八年（1858），三十歲，舌耕如故。三是在咸豐十年（1860）春天，三十二歲，在蘇炳輝家開館課學，與東家相處融洽。四是在辭官歸里後，主講仰山書院。李望洋出身儒生，又當過幾年訓蒙師，如今以知縣身分勉勵儒生，句句切中要點。他說：「德以馨為貴，情因淡益彰」，又說：「吐屬文言艷，甄陶大器良」，每個士子都必須以非凡自命，更要有美好品德；而品德以馨香為貴，情感更要清淡平和始能更彰顯；能言行一致才能使言語成為可貴，能不斷接受淬煉才能成大器，為世所用。而接續著此詩之意涵，李望洋接著在〈安危須仗出群才〉詩中勉勵儒生，士子為天下精英，國家安危端賴於此。他說：

孰出安危計，須知獨冠軍。祇因才可仗，更覺品超群。

驥德誠難匹，龍韜乃奏勳。心惟扶社稷，志即壯風雲。

國士生非偶，蒼黎賴不紛。運籌操勝算，揮指靖邊氛。

務使苞桑奠，緣求俊乂殷。聖朝崇碩輔，投筆佐賢君。

　　──（見《全臺詩》第玖冊，頁 119）

此詩也是五言十六句長律，乃是接續上首詩而來。李望洋告訴儒生，當國家危急存亡之秋，誰能籌畫安定危局之計策，就屬士子之外無他；只要能心存扶持社稷之意念，自能心生凌雲之壯志；國士之生自有其命定，百姓賴此得以不亂；要使國家不陷於危墜，全賴有傑出賢良之人才。

　　李望洋以大挑一等的優異成績籤分甘肅知縣，他不畏遠隔重洋路途迢迢，到內地作官多年，閱歷豐富，使得他的儒學詩有其自己的風格特色。譬如以上三詩雖然是用試帖詩之詩體寫作，但卻無一般試帖詩之刻板，因為此三詩是當時李望洋以甘肅知縣身分在貢院，也就是所謂的科舉考試考場時，心中有所感的抒發之作，其中都有現實生活中的人、事、時、地、物作為詩作背景，不同於其他試帖詩憑空想像、故唱高調。因此筆者認為他雖然受從政影響，思維作風厚重嚴肅，但是功在包括儒學教育與儒家精神在內的儒學傳承。

（八）黃　敬

　　黃敬，生年不詳，卒於光緒十四年（1888），字景寅，淡水關渡人，人稱「關渡先生」。年輕時受學於安溪舉人盧春選，咸豐四年（1854）歲貢生，授福建福清縣學教諭，但因母年邁，辭未就，在故里假關渡天后宮設帳授徒，從學者有百人之多，及門多秀士，與士林曹敬，人稱「二敬」。精於《易經》之學，有著作數種，然今日皆僅存書名而不見其內容。

1. 敘述教學相關情形之詩作

　　黃敬以儒師身分，今存與儒學教育相關之詩作有〈勸學歌〉、〈勸學歌〉十則，以及〈偶感〉二首。先說〈勸學歌〉、〈勸學歌〉十則：

　　黃敬雖然曾經授福建福清縣學教諭，但因母親年邁，辭謝不就任，而在故里關渡借寺廟設帳為師。他的今存與儒學教育相關之詩作，便是在此種背景下產生的。先說〈勸學歌〉：

列位諸君聚一堂，何人不是讀書郎。我今把筆閒敲句，奉勸知心語數行。書千卷，冊萬箱，君今不學曰無傷。盍念古人傳世句，為人不學如牛羊。年方富，力方充，君今不學曰無妨。荏苒韶光不我待，

老來方悔少年場。日又永，夜又長，勸君早學勿徬徨。寸陰易過時
時惜，十載寒窗當自強。春交夏，秋交冬，勸君須早勿太康。自古
聖賢皆苦讀，匡衡昔日尚偷光。槐花黃，桂花香，花花催迴少年狂。
萬里青雲誠得志，功名早達帝王鄉。君不見古來名士，買臣負薪，
李密掛角，孫敬懸樑。君不見當朝宰相，官居一品，位至三公。許
時節，何等高超，何等軒昂。──（見《全臺詩》第肆冊，頁137）

此詩為歌詠體，為黃敬當時教書時，書之以勸勉學生者。中國勸學詩文頗多，
而且由來頗早，譬如唐朝顏真卿有〈勸學〉一詩，〔註94〕宋代重視教育，鼓
勵科舉，宋真宗甚至以皇帝之尊，勸勉學子努力讀書，求取功名，而有〈勸
學詩〉或稱〈勸學文〉之作，〔註95〕南宋朱熹也有〈勸學詩〉〔註96〕等等。
以上諸詩所謂「勸學」，其所勸之學都是指讀書而言，讀書之目的為考上科舉，
功成名就，因此其所讀之書都是科舉考試科目。黃敬以儒學教師身分，作〈勸
學歌〉勸勉學生，此詩明顯承襲了中國歷代先後出現之勸學詩，詩中從「為
人不學如牛羊」、「勸君早學勿徬徨」，到「十載寒窗當自強」、「自古聖賢皆苦
讀」，再到「功名早達帝王鄉」、「君不見當朝宰相，官居一品，位至三公」，
無一不是繞著讀書、考試中舉、謀取高官主題作發揮。吾人由此詩，明顯看
到當時清代臺灣社會，在清廷長期有計畫灌輸下，無論儒師或儒生，皆以讀
書考試中舉作官這條所謂仕途作為奔競目標之一斑。

　　再說〈勸學歌〉十則。在〈勸學歌〉十則中，黃敬則進一步教導學生，為他
們排定每天讀書時間表，他說：

古聖賢，惜光陰。惜光陰，一分值得百分金。那堪枉卻千千丈，誤
了百駒沒處尋。

從今後，莫錯過。莫錯過，烏飛兔走急如梭。年華隨水滔滔去，亟
向中流挽急波。

天未明，讀古經。讀古經，千秋事業炳日星。須從疑處方能悟，未

〔註94〕顏真卿〈勸學詩〉：「三更燈火五更雞，正是男兒讀書時。黑髮不知勤學早，
　　　　白首方悔讀書遲。」

〔註95〕宋真宗〈勸學詩〉：「富家不用買良田，書中自有千鍾粟。安居不用架高堂，
　　　　書中自有黃金屋。取妻莫愁無良媒，書中有女顏如玉。出門莫愁無人隨，書
　　　　中車馬多如簇。男兒欲遂平生志，五經勤向窗前讀。」

〔註96〕朱熹〈勸學詩〉：「少年易老學難成，一寸光陰不可輕。未覺池塘春草夢，階
　　　　前梧桐已秋聲。」

到熟時不可停。

日將午，讀詩詞。讀詩詞，古調新吟件件宜。服處還當臨晉帖，穿殘鐵硯一片錐。

日向暮，讀古文。讀古文，百家子史甚殷勤。省些無益閒言語，多閱奇書廣見聞。

夜未艾，讀佳篇。讀佳篇，摘取名家時派研。誦到精神團結處，燈花吩咐好加鞭。

或課藝，練氣機。練氣機，雕龍繡虎任毫揮。筆花總入勤儒夢，柳汁不沾惰士衣。

多閉戶，少嬉遊。少嬉遊，世態蒸人氣易浮。執袂拍肩相逐逐，春場馳驚起風流。

遲一刻，缺一功。缺一功，學業不絕腹笥空。我這數言當木鐸，諸生莫作耳邊風。

宜勉力，勿徘徊。勿徘徊，人人盡是棟樑材。眼前多少龍門客，那箇不從燒尾來。──（見《全臺詩》第肆冊，頁 138～139）

此詩亦為歌詠體。若吾人說〈勸學歌〉是說理篇，那麼〈勸學歌〉+則便是實踐篇。黃敬以儒師身分，先在〈勸學歌〉裡，以功成名就作為誘因，誘導學生積極讀書；次在〈勸學歌〉+則中教導學生如何讀書，時間如何安排。而若依十則來看黃敬為學生所訂之讀書時間表，的確完全符合中國古人所謂之「三更燈火五更雞」要求。黃敬將一天時間分為四段，天未明，日將午，日向暮，夜未艾；而依此時間順序，分別研讀古經、詩詞、古文、佳篇。並且研讀必須各依其法，古經「須從疑處方能悟」，要背誦至滾瓜爛熟；詩詞要「古調新吟件件宜」，要臨摹晉帖；古文要「百家子史甚殷勤」，要多閱奇書；佳篇要「摘取名家時派研」，要誦到心領神會；制藝要「雕龍繡虎任毫揮」，要不斷精進。吾人由此詩再次看到當時清代臺灣社會重視科名之一斑。至於〈偶感〉二首，則是黃敬對儒師身分之感懷。

2. 敘述個人感懷之詩作

黃敬所長期從事之教職為最基礎的啟蒙教育，空有清高之名，而無高尚社會地位。因此他的〈偶感〉二首，所表現出來的是淡泊無爭：

俗塵萬事不關情，助我書懷鳥數聲。

教罷兒童歸去後，青燈獨對月三更。

風濤入夜夢難成，起視青燈暗復明。

幾次欲眠眠不得，曉窗猶聽讀書聲。

——（皆見《全臺詩》第肆冊，頁 134～135）

此二首皆爲七言絕句。黃敬說，每天摒棄塵俗，不管世事，過著平靜的教書日子，早出晚歸，日夜只聽兒童讀書聲。黃敬在二詩中既不訴苦也不言樂，似乎早已視透讀書人出路，非作官即教書之宿命，而也因此，此二詩頗能反映出當時清領時期臺灣基層啓蒙師的生活狀況。

綜合黃敬生平事蹟以及他的儒學詩，吾人看到了當時臺灣本土儒士即使甄選上縣儒學之儒師資格，但是因爲兩岸遠隔重洋加上個人因素，使得很多人寧願放棄前往而留在家鄉開班受徒，嘉惠學子，黃敬便是其中一個典型例子，而這也是筆者將他選出作爲論述對象之原因。黃敬雖然仍是如當時一般儒師一樣，必須過著清苦的教書生活，但是他調整自己心情，不抱怨、不感傷，用淡泊無爭面對眼前的諸多紛擾。他全心全意投入教學工作，盡心盡力教導學生，借用輕鬆溫和的歌詠詩，將嚴肅刻板的教條說理傳達給學生，讓學生在沒有壓力的氛圍下接受吸收，並進一步付諸實踐。居於此，筆者認爲他被尊稱爲「關渡先生」，此美名實非浪得。

（九）陳肇興

根據《全臺詩》說法，陳肇興生於道光十一年（1831），卒於同治五年（1866？）。〔註97〕字伯康，號陶村。彰化縣治（今彰化市）人，自少天資穎悟，事親至孝。咸豐三年（1853）入邑庠，從鹿港拔貢廖春波在彰化白沙書院學習詩賦文，成績優異。咸豐九年（1859），舉鄉試。後回舊居築「古香樓」，集合諸兄弟妻子聚居一起以歡母心，而自己也在此讀書歌詠自娛。同治元年（1862）戴潮春事起，乃慨然投軍。事平後，設教里中，也曾經擔任過白沙書院山長，林宗衡、許尙賢、楊馨蘭、楊春華、吳德功等皆出其門。

陳肇興重視家庭倫理，維護家族。回顧他的求學路，一反其他詩人對父訓之感念，陳肇興則是在詩中反覆感謝母親栽培。吾人據他在〈掃墓感作〉中說：「記得趨庭鯉對時，一鐙豆火課孤兒」（見《全臺詩》第玖冊，頁 199。）知道陳肇興從小父親早逝，由母親負起教育之責，也因此他在〈補博士弟子紀事〉

〔註97〕見施懿琳：《全臺詩》第玖冊，頁 197。

三首之一說：

　　歲歲風簷裡，文章困數奇。空存天下志，纔作秀才時。

　　賣賦憐身賤，緘書慰母慈。鯉庭遺訓在，回首一淒其。

　　　　──《全臺詩》第玖冊，頁204）

此三詩皆爲五言律詩，收在《陶村詩稿》卷一，作於咸豐三年癸丑（1853）。
〔註98〕詩中陳肇興自述補弟子員時之心情。所謂博士弟子員，就是入泮進府
縣儒學讀書之生員，也就是一般所稱的秀才、庠生、茂才。陳肇興在取中秀
才時，回首以前長年讀書之苦日子，雖然自憐只能靠賣文過活，但是感謝母
親教導，修書慰母，回憶母親訓誨，不禁滿懷淒涼。又在三首之三說：「釋菜
瞻先聖，衣冠一色新。拖青欣有伴，曳白詎無人。泮水芹初秀，官橋柳已勻。
從茲舒驥足，萬里騁風塵。」〔註99〕詩中陳氏充滿對未來光明前途之盼望與
抱負。

　　陳肇興事母至孝，咸豐八年戊午（1858），中舉後築「古香樓」，乃是爲
奉養母親，並聚集兄弟而居以歡母心。他在〈古香樓落成移居即事〉四首之
三說：「誅茅誰助草堂錢，賣盡文章又賣田。潘岳閒居原奉母，葛洪移宅總游
仙。無多別業悲生計，有味書鐙憶少年。知否三遷慈訓在，未能奮發愧前賢。」
（見《全臺詩》第玖冊，頁233。）在四首之四說：「弟兄共住東西屋，妻子還分上下床」
（見同上，頁233。）由以上可見母教對陳肇興之影響頗爲深遠。

1. 論儒家人物與學說之詩作

　　陳肇興詩作生前並未付梓，據龍文出版社所出版之臺灣先賢詩文集彙刊
第一輯4《陶村詩稿》，其中所附臺灣文獻類編編輯室之〈陶村詩稿編印說明〉
所說，陳肇興《陶村詩稿》共有五種版本，而龍文版乃據其中楊珠浦排印本
影印。又據龍文版《陶村詩稿》所附之昭和十一年（1936）秋，楊珠浦〈記〉
之說，《陶村詩稿》共八卷，係陳肇興壯年時所作，貴寫實，尚平易，不過，
楊珠浦在〈記〉中轉述陳肇興弟子吳德功之言說：「現存殆非完本」。〔註100〕
楊珠浦排印本共有八卷，詩作時間起自咸豐二年（1852），終於同治二年
（1863），其七、八兩卷，即〈咄咄吟〉稿。

〔註98〕見陳肇興：《陶村詩稿·卷一》，臺灣文獻叢刊第一四四種，臺北：臺銀經研
　　　　室，1962 年（民51），頁7。以下本論文各章所引用此書皆爲同一版本，不再
　　　　贅敘出版地、出版社與出版年。

〔註99〕見同上，《陶村詩稿·卷一》，頁7。

〔註100〕見同上，《陶村詩稿》所附之楊珠浦〈記〉，目次前二頁。

（1）論儒家人物

　　或許因爲現今所能見之《陶村詩稿》並非完本，時間又僅 11 年而已。因此在《陶村詩稿》中並未見有試帖詩，不過，他在〈雜詩〉二首中，也有論及儒學之事。先說〈雜詩〉二首之一：

　　　　古來無英雄，成名半天倖。唯有諸葛公，事業隆中定。

　　　　抵掌話三分，乾坤若懸鏡。後來所設施，一一操券勝。

　　　　問其所以然，淡泊兼寧靜。二語足千古，微言闡孔孟。

　　　　姚江悟良知，勳業亦相稱。如何後生輩，開口肆譏評。

　　　　攻詰到陰私，立心毋乃佞。我欲掃蜉蝣，萬古囂塵淨。

　　　　大雅久不作，哇聲誰放鄭。——（見《全臺詩》第玖冊，頁 266）〔註 101〕

此詩爲五言二十二句長律。此詩評論了諸葛孔明和王陽明，前者著重在論人，後者著重在論學。陳肇興論諸葛亮，說諸葛亮一生事業並非天倖，而是定於與劉備之〈隆中對〉；抵掌暢談三分天下之計，對天下情勢瞭若指掌；運籌帷幄，決勝千里；而諸葛亮所以能致此境界之原因，即在他能「寧靜淡泊」。陳肇興在詩中對諸葛亮推崇備至，認爲他的「寧靜以致遠，淡泊以明志」二語足以流傳千古，闡發了孔孟之儒家精神。

　　又陳肇興論王陽明，認爲姚江王陽明悟出「良知」之說，這個功勞與他的勳業相稱，爲何後世之人要隨意開口批評他，甚至發人身攻擊之言論。不過，陳肇興對王陽明「心即理」、「心外無理」、「心外無物」之立心說則明顯不敢苟同，認爲這種說法未免過於巧言善辯。對此，陳肇興大力振臂，說他要掃盡立心說者，讓天下喧囂平息，恢復大雅之聲。

　　由此詩，吾人看到陳肇興因尊崇中國儒學，因此進而推崇能闡揚儒家精神之人；以及爲維護儒學傳統，他大力撻伐儒學傳統之外的其他學說之一斑。

（2）論儒家學說

　　至於〈雜詩〉二首之二，陳肇興延續他在二首之一的批判精神，而說：

　　　　漢儒專標榜，宋儒尚攻擊。此論一以開，前賢何所適。

　　　　曹寺分水火，朝堂生荊棘。既樹君子仇，仍尋古人隙。

　　　　六經如埃塵，毫芒嚴縷析。卮言日夕馳，卷軸邱山積。

　　　　咄咄西河叟，獨與紫陽敵。——（見《全臺詩》第玖冊，頁 266）〔註 102〕

〔註 101〕見同上，《陶村詩稿·卷六》，頁 85～86。

〔註 102〕見同上，《陶村詩稿·卷六》，頁 86。

此首爲五言十四句長律。詩中陳肇興針對儒學被後學者分成漢儒學與宋儒學，兩派相互攻訐較勁作論述。他說，儒學被分成兩派，宗漢儒一派者，專事以一脈相承漢學作標榜；宗宋儒一派者，則以周、程、張、邵等爲正宗，專尚攻擊他人言論。而此兩派交鋒風氣一開，使得大家不知如何跟從前賢；如果學術殿堂也要分派別，形同水火，那麼中國儒學將要成一片劫後廢墟；儒者間不但彼此樹敵，而且還轉向古人找尋間隙；於是六經有如塵埃般，即使是最細微處，也被拿來嚴格分析批判；隨意附和而無主見之語滿天飛，所累積之著作堆積如山。詩中最後，陳肇興爲這件漢儒、宋儒之爭作了一個結論，他說，眞正傳承孔孟之學者唯有子夏，眞正傳承宋學者唯有朱熹，而兩人勢均力敵、不分軒輊。

　　陳肇興此二詩，在現存清代臺灣本土儒師之詩作中顯得格外特別，由此二詩，不但讓吾人知道，清代的臺灣雖然偏於東隅一角，但當時儒學之發達並不遜色於內地中國，而對儒學展變脈動瞭若指掌；也讓吾人看到陳肇興之儒學素養，對儒學並非僅止於接受而已，而是在接受中加以理性分析判斷，尋其本源，存其大者、精者，去其小者、蕪者。

2. 敘述教學相關情形之詩作

　　陳肇興求學歷程反映在詩作中者如此，至於在爲人師之教學工作，反映在詩作中者又是如何？因爲他現在僅存的《陶村詩稿》只寫至戴潮春案結束爲止，因此他在事平返回里中設教，以及掌白沙書院山長那一段教學情形今已不復可見。以下筆者所引之〈賴氏莊〉五首與〈書齋偶興〉四首，前者作於他入邑庠那一年，後者作於他中舉前一年。先說〈賴氏莊〉五首之四：

　　　　結宅臨流水，開門見遠山。主人能好學，稚子不偷閒。

　　　　竹下挑燈飲，花前出畫看。祇因素相愜，禮數一時刪。

　　　　──（見《全臺詩》第玖冊，頁206）

〈賴氏莊〉五首皆爲五言律詩，收在《陶村詩稿》卷一，作於咸豐三年癸丑（1853）。〔註103〕陳肇興在第一首一開始就說：「聞亂拋城市，遷家就友生」。可見當時陳氏會把家遷到賴氏莊是爲避亂，但明顯不是戴潮春案，因爲戴案起於同治元年（1862），平於同治四年（1865），中間相差十二年。

　　而考之歷史，當時臺灣發生在咸豐三年（1853），而且影響及於百姓生活

〔註103〕見同上，《陶村詩稿·卷一》，頁9。

秩序的人為亂事有二件，一為林恭事件，事件從二月延續到七月，有徐宗幹出兵禦之，影響遍及全臺，最後因林恭被縛殺而平息。二為五月淡北漳、泉械鬥，有鄭用錫出面撰〈勸和論〉勸解，然終不能止，禍焰遠及雞籠、三貂、桃仔園、楊梅等地，延至八月不息。〔註104〕由以上歷史資料觀之，當時陳肇興所謂「聞亂」，有可能是指林恭事件，也有可能是指漳、泉械鬥，或者兩者兼而有之。而在賴氏莊避亂這段期間，陳氏可能因為好友邀請，於是到書館教書，因為他在第三首前二句說：「薄暮投書館，題詩寄草堂」。

　　緊接著，陳肇興在第四首敘述在賴氏莊的教書生活情形。主人家臨水而建，開門即可望見遠山；主人好學，小學生也不偷懶；閒暇與主人在修竹下飲酒，在花前看畫；也因為與主人素來相處融洽，因此該有的禮數也一概全免。

　　也就是主人以最大誠意對待他，「金瓜供客饌，銀鯽入廚羹」，讓陳肇興也覺得蠻愜意地說：「酒後偏工睡，人前欲息爭。狂吟聊過日，安坐待時平。」（見五首之五）姑且就安住在這裡，等待時局安定下來再說。

　　不過，相對於在賴氏莊教書時之安適滿足，陳肇興在咸豐八年（1858）這段時間的教學生活，就似乎顯得苦悶難耐。〈書齋偶興〉四首之一：

　　　　長歌彈鋏客無能，一硯相隨伴老僧。

　　　　餬口祇憑三寸舌，問心猶欠十年鐙。

　　　　詩情漸減緣租吏，世事粗嘗畏友朋。

　　　　謬作人師吾豈好，可憐猿鶴誤擔簦。──（見《全臺詩》第玖冊，頁232）

〈書齋偶興〉四首皆為七言律詩。收在《陶村詩稿》卷三，作於咸豐八年戊午（1858）。〔註105〕此時的陳肇興距離他入泮時間已有五年，在這五年當中，以秀才身分來說，高不成低不就，教書是最好也是別無選擇的謀生方法，因此他在詩中說「一硯相隨伴老僧」，又說「餬口祇憑三寸舌」。但是外在環境，一則「問心猶欠十年鐙」，猶缺十年寒窗功夫，以致一舉成名之路尚遙；再則租吏催租，世事險惡，讓他覺得為人之師，豈是自己所最愛，就猶如猿鶴擔簦一般，既不成樣又辛苦。由此詩吾人看到此時的陳肇興，充滿想要突破卻欲振乏力之無力感。而以下〈書齋偶興〉之二，他則從另一個面向，敘述一個為人師者的生活狀況：

─────────────

〔註104〕見李汝和主修：《臺灣省通誌·卷首下·大事記第二冊》，頁87。

〔註105〕見陳肇興：《陶村詩稿·卷一》，臺灣文獻叢刊第一四四種，頁41。

舐筆和鉛學點鴉，年年塗抹作生涯。

揮毫直掃千人陣，握管俄開五色花。

漫道時文非載道，須知小技亦名家。

諸君莫但貪坊樣，平淡由來爛似霞。——（見《全臺詩》第玖冊，頁232）

教書之餘的另一個謀生方法就是賣文，陳肇興自己心裡明白，應酬文章只是雕蟲小技豈能載道，不過他在詩中不由正面明言心中的情非得已，而由反面說這些時文雖是小技巧，卻能使人成名，文筆看來似乎平淡卻燦爛似錦霞。由此詩吾人看到陳肇興儘管迫於現實生活，不得不賣文過日，但對自己的文筆則是充滿信心。

至於〈書齋偶興〉四首之三，陳肇興也以自己當時的生活與心境為敘述重點：

一龕長日伴維摩，幾个獠奴問字過。

詩禮重溫文義出，門庭漸廣是非多。

裁紅暈碧春無耐，淺酌低斟興若何。

卻恨風塵空濶跡，十年松桂負巖阿。——（見《全臺詩》第玖冊，頁232）

詩中陳肇興自述每天生活是「一龕長日伴維摩，幾个獠奴問字過」，整天不是讀書就是課學；隨著名聲日隆，加在身上的事情也越來越多。而每天心境「卻恨風塵空濶跡，十年松桂負巖阿」，他憾恨自己在俗世中不得安閒，十年來想要退居山林，卻迫於生活不能實現。

其實由以上三首詩，吾人似乎可看出陳肇興後來人生走向的端倪。他為了實現一舉成名天下知之願望，在隔年，也就是咸豐九年（1859）參加鄉試中舉，終於名聞天下；又為了實現退居山林之願望，中舉後不仕，賣盡文章又賣田，築「古香樓」，聚集兄弟而居以歡母心。

陳肇興儒學基礎紮實，吾人由他的儒學詩中可以觀察出，他雖然和當時的儒師一般，也是不得不必須轉徙各地，受聘為村里私塾老師以維持基本生活，但是他對中國儒學的發展脈絡、儒家人物的學說要旨都有深刻認識，因此當發為評論時，皆能有其自己的定見說解，對他們之間的優劣得失皆能作公允評論，不像一般只照本宣科記誦口說者，因此筆者將其選出作為論述對象。

（十）許南英

許南英，臺灣府（今臺南市）人，生於咸豐五年（1855），卒於民國六年（1917）。字子蘊、號蘊白（一作允白），署窺園主人、留髮頭陀、龍馬書生、

毘舍耶客、春江冷宦，早年以教書爲業。光緒十六年（1890）恩科進士，授兵部車駕清吏司主事，不就。歸臺後，對墾土化番、編修通志之事多所投入。日本割臺後，因被日人懸像索之，不得已內渡，歷任知縣、同知，參與國民革命行動，後病卒蘇門答臘棉蘭。〔註106〕

　　許南英生平，除了有其四子許地山（贊堃）爲他作的〈窺園先生詩傳〉外，又有他自作的〈窺園先生自定年譜〉，年譜中對自己從師受業、參加科舉考試，以及任教經歷，有很詳細記載，今試簡述如下：咸豐九年（1859），五歲，由其父特齊公啓蒙，教以唐詩便能成誦；咸豐十年（1860），六歲，特齊公歿，從陳良玉先生受業；咸豐十一年（1861），七歲，從許鳳儀先生受業；同治元年（1862），八歲，從鄭永貞先生受業；同治二年（1860），九歲，從葉崇品先生受業；同治九年（1870），十六歲，就童子試，伯父亦輝公喜曰：「讀書種不絕矣」；同治十二年（1873），十九歲，有從商之意，詔安謝憲章先生見其文極爲嘉許，勸再就學，乃從先生受業二年。光緒四年（1878），二十四歲，廣儲東里林家聘爲教師，脩金百元，設教「聞樨學舍」；光緒五年（1879），二十五歲，入邑庠，撥府學第二名；光緒六年（1880），二十六歲，科考、歲考均列一等；光緒八年（1882），二十八歲，蔡綺卿部郎聘教授脩金三百元，合書院膏伙，約得四百元；光緒九年（1883），二十九歲，科試一等；光緒十一年（1885），三十一歲，中鄉科解元第四十一名；光緒十二年（1886），三十二歲，會試報罷，仍在蔡綺卿家教讀；光緒十五年（1889），三十五歲，赴京會試，仍以言論傷時被放；光緒十六年（1890），三十六歲，中會試恩科進士；光緒十七年（1891），三十七歲，安平縣陳子岳聘先生掌教蓬壺書院，辭未就。光緒二十八年（1902），四十八歲，委署雷州徐聞縣，縣僻事閒，邑紳聘掌教「貴生書院」。〔註107〕

　　許南英之儒學詩表現在他的教學相關情形方面。由以上資料中，吾人知道許南英一生幾乎與教學工作相關聯。而除了教學工作外，其實從他的〈窺園先生自定年譜〉中，吾人也看到許氏從光緒二十一年（1895）內渡之後，不但參與譬如縣試、府試、鄉試之閱卷或考官工作；而且還在光緒三十一年

〔註106〕見許南英：《窺園留草‧附錄‧窺園先生詩傳》，臺灣文獻叢刊第一四七種，臺北：臺銀經研室，1962年（民51），頁233～248。以下本論文各章所引用此書皆爲同一版本，不再贅敘出版地、出版社與出版年。

〔註107〕見同上，《窺園留草‧附錄‧窺園先生自定年譜》，臺灣文獻叢刊第一四七種，頁219～231。

（1905），五十一歲時，在陽江軍民同知任內，設「陽江習藝所」、「陽江師範傳習所」，派學生往東洋留學，開辦陽江巡警。

先說設聞釋學舍授徒。因為長期投入教學工作，因此在許南英詩作中，也出現一些與儒學教育相關之作品，今試例舉如下。先說〈聞釋學舍將於臘月初五解館初四夜燈花忽開喜而誌之〉四首之一、四：

> 終年伴我讀書帷，方與青燈悵別離。
> 今夜忽開花燦爛，多情若此可無詩。
>
> 卜得寒燈意不差，從今只照話桑麻。
> 思將贈我無他物，結撰春心一朵花。——（見《全臺詩》第拾壹冊，頁 152）

此四首皆為七言絕句，此處所取者為第一及第二首。許南英之四子許地山（贊堃），在〈窺園先生詩傳〉說其父自二十四歲至三十五歲都以教書為業，又說聞釋學舍就在「窺園」裡，為其祖父特齊公所建，並曾在園中開館授徒。〔註108〕

許南英在二十四歲時繼承父親衣缽，也開始在窺園中設館為蒙師。所謂解館就是今日所言之學校學期放假，臘月初五的解館，大約就是現在之寒假。許氏每天在學舍中教授生徒，就在寒假前一天夜裡，學舍之蠟燭忽然臘油燦爛如開花，許氏認為這是好預兆，好似在告訴他，從今以後可以靠此維生，過著平凡的平民百姓日子。由此二詩，吾人可以感受出此時的許南英很滿足於平凡的教書生活。不過這種滿足，在他中進士之後有了變化，有一段時間他曾試圖轉換跑道。

考之〈窺園先生自定年譜〉吾人知道，許南英自從光緒十六年（1890）中進士，光緒十七年（1891）接受臺南官紳會推舉，負責管理「聖廟樂局」事務之後，直到光緒十九年（1893）的幾年之間，他都無其他新的供職。雖然外人無法完全探知他辭不就蓬壺書院教職之原因，但是由他在〈邱仙根工部以詩索畫梅，用其原韻應之。時仙根掌教崇文書院，而余辭蓬壺書院之聘〉詩中所說：「講學輸君據上遊，偷閒讓我占林邱」〔註109〕；以及在〈窺園漫興〉四首之二所說：「秋風石徑長蒼苔，久與衙官謝往來」、「笑爾樞曹閒散吏，不當官去愧無才」；在〈窺園漫興〉四首之三：「容我讀書皆造化，課人藝圃亦經綸」；在〈窺園漫興〉四首之四所說：「相逢俱是濟時賢，愧我無能著祖鞭」

〔註108〕見同上，許南英：《窺園留草·附錄·窺園先生詩傳》，頁 234～235。
〔註109〕見施懿琳：《全臺詩》第拾壹冊，頁 179。

等詩句，〔註110〕吾人大概可以推知，許氏在這幾年時間裡，大約是在作沉潛轉型，思考未來的人生方向，究竟是要繼續作「課人藝圃」的教書工作，或是要作「濟時賢」的造福鄉梓工作。

而顯然的，許南英選擇「濟時賢」的造福鄉梓工作。根據許地山的〈窺園先生詩傳〉說，其父在這幾年裡幫助政府辦理墾土化番工作，每深入番社，山裡的番民、漢人都認識他。〔註111〕

次說掌教徐聞小學堂。直到日人割臺，被迫內渡，歷經幾番波折，在因緣際會下讓許南英又重新擔任了短暫的教職工作。光緒二十八年（1902），在他四十八歲時，委署偏僻的雷州徐聞縣，許地山在〈窺園先生詩傳〉說，徐聞在雷州半島南端，民風醇樸，其父到任後，全縣政事只用一位刑名師爺助理，其餘會計錢糧等事，都由其父自己打理，每旬放告，輕的是偷雞剪鈕，重的也不過是爭田賴債，殺人越貨之事罕有所聞，因此當時其父工作輕鬆。而適巧當時貴生書院山長楊先生退任，其父遂把書院改爲徐聞小學堂，選縣中生員入學。當地邑紳見其父熱心辦學，於是聘其父爲掌教，每旬的三、六、九日到堂講經史二時，是有清以來罕見的縣官兼掌教。其父因常到小學堂，因此與學生多有接觸，對縣中人情風俗也很能了解。許地山又說，其父每以「生於憂患，死於晏安」警策學生；又說：「人當奮勉，寸晷不懈；如耽逸樂，則放僻邪侈，無所不爲。到那時候，身心不但沒用，並且遺害後世。」〔註112〕而此首〈贈徐聞小學堂吳生文謨〉便是作於當時：

> 富者恃貨財，貴者恃簪組。儒者何所恃，所恃能勤苦。
> 天生孤寒士，滔滔遍寰宇。彼蒼有深意，拓此人才藪。
> 俾之歷盤錯，成材貢天府。濟川作舟楫，大旱作霖雨。
> 何以讀書人，鎮日憂終竇。不爲才人才，甘爲腐儒腐。
> 眞儒自有眞，富貴不敢侮。矧哉延陵生，才華亦媚嫵。
> 仲尼曾有言，人非以貌取。所以言子游，武城得子羽。

—— （見《全臺詩》第拾壹冊，頁220）

此詩爲五言二十四句古詩。詩中許南英以儒師身分勉勵生員吳文謨，他告訴吳生，富有之人可倚仗的是貨財，高貴之人可倚仗的是珍珠首飾，而儒者所

〔註110〕見同上，頁182。
〔註111〕見許南英：《窺園留草·附錄·窺園先生詩傳》，頁236。
〔註112〕見同上，頁240～241。

可倚仗者何？就是勤苦。上天降生孤寒儒士，讓他們遍佈寰宇，一定有它的深意，就是要藉此開拓各處人才；讓他們歷盡各種磨鍊考驗，爲的是成材後可以貢獻國家。身爲一位儒士，應該作人之舟楫，爲人之霖雨，造福他人，爲何整天只擔心貧陋；不當一位人才，而甘爲腐儒。一位眞正儒者即使貧窮，富貴人也不敢欺侮之。今日吾人雖不知當時吳生是因何事而讓許南英作此詩相贈，不過由詩中「才華亦媚嫵」、「所恃能勤苦」看來，吳生應該是一位才華洋溢，頗可造就，可惜稍嫌不夠勤苦，故而尙未能成大器者；又由許南英以「贈」字爲題，可以想見吳生應該是一位頗受許氏看重之生員。

當許南英以儒師身分面對吳生時他殷殷勉勵；而當許南英以知縣兼儒師身分留別徐聞諸紳士時又是如何？他在〈留別徐聞紳士〉四首之四中說：

　　貴生講席許登臨，學準條條費苦心。
　　廣坐衣冠忝俗吏，改絃琴瑟發新音。
　　孤寒幾輩無膏火，慷慨何人有囊金。
　　三月春風惆悵甚，滿城桃李未成陰。

　　　　——（見《全臺詩》第拾壹冊，頁225）

此四首皆爲七言律詩。許地山在〈窺園先生詩傳〉說，其父在徐聞約一年，全縣紳民皆愛戴他。〔註113〕許南英在前三首中泛對徐聞諸父老，一面叮嚀他們，一面表達對他們的感謝與思念。他在四首之一說：「寄語四鄉諸父老，能攻吾短即吾師」，又在四首之三說：「踏雪征鴻作勢飛，諸君攜手尙依依」、「別後多情還遞簡，樽前有淚自沾衣」。而在第四首，許氏則針對徐聞小學堂之事有感而發，在前二句中，他道出自己的努力，學堂之學生準則每條都經過苦心思考；第三、四句則說小學堂之學生也都重新經過挑選而來；而在第五、六句，許氏則話鋒一轉，憂心地對鄉紳父老說，小學堂膏火無著，不知有誰可以慷慨解囊；最後結語，許氏用暗喻法，表達心中的掛慮，因爲小學堂的學生各個都尙未定型成材，需要有更多教導才行。

　　再說擔任陽春縣鄉試閱卷官。當許南英以教職身分直接面對學生，對學生之諄諄教誨，吾人在〈贈徐聞小學堂吳生文謨〉一詩中已見矣。而至於他以科舉考試閱卷官，憑著試卷要拔舉人才時，他的心情態度又是如何？吾人亦可藉由他的〈癸卯（1903）鄉闈分房襄校和同鄉虞和甫鎖院述懷原韻〉二

〔註113〕見同上，頁241。

首之二，明白其對當時教育之貢獻。：

> 不虛所學究人天，守舊維新各一偏。
>
> 但使霸才能富國，且同文士策籌邊。
>
> 蟾宮組織登科記，羊石搜求避世賢。
>
> 尚恐遺珠珠海裡，惱人雙淚比珠圓。——（見《全臺詩》第拾壹冊，頁 227）

此二詩皆爲七言律詩。作於光緒二十九年（1903），四十九歲，據〈窺園先生自定年譜〉，在這一年許南英卸徐聞縣任，赴廣州，特授廣州三水縣。未赴任回省，委赴欽州查案。調署陽春縣，赴陽春縣任。招降巨盜李北海等。委調鄉試同考官。許氏自註此詩說：「富國、籌邊皆本科題目」。在第一首之五、六句中，他先自道這一次之工作任務「銜命儒臣殷薦士，濟時聖主急求賢」，是奉命拔擢天下人才以貢獻國家。因此在第二首，當他看到考生試卷就著〈富國〉、〈籌邊〉兩個題目發揮，有的主張守舊、有的倡議維新各有所偏，他說：如果只有霸才就能富國，那麼他願意與文士們一起擘畫邊事。言下之意，他不能認同只用維新富國，而必須兼融中國傳統。而爲了得到天下眞才，許南英閱卷過程戰戰兢兢，他說：「蟾宮組織登科記，羊石搜求避世賢」，在這次廣東鄉試閱卷中，雖仔細挑選登第人才，努力搜羅廣東避世賢人，猶恐不小心有遺珠之憾。

由以上諸詩綜觀許南英在儒學教育上之經歷，他教學、創辦學校、擔任閱卷官拔舉人才，維護中國儒學舊傳統，開辦訓練西方科技人才之學校，回到臺灣家鄉，又對地方儒學發展、社會教化投入大量心力，所言所行無一不是爲振興家國而努力。吾人由他的儒學詩，可以清楚感受出他對作育英才工作的熱忱與抱負；也可以明顯看出他是一位入世眞儒，而非迂朽腐儒。

（十一）施士洁

據黃典權補訂之《臨濮堂施氏族譜》所記，施士洁，名應嘉，字澐舫，號芸況，又號喆園、楞香行者、鯤瀕棄甿，晚號耐公，或署定慧老人。父親爲施瓊芳，家居臺南赤嵌樓畔。生於咸豐五年（1855），卒於民國十一年（1922）。因與宋蘇軾之出生月日相同、年辰相應，頗有蘇氏再世自況之概，因以「後蘇龕」冠其各類著作。六歲能屬對，弱冠舉茂才（按：即俗稱之秀才、博士弟子員、生員）。光緒二年（1876）中舉，光緒三年（1877）成進士，點內閣中書。性放誕，不喜仕進；自歸里後至乙未（1895）日本割臺以前，先後掌教彰化白沙書院，及臺南崇文書院、海東書院，對後進多所裁成，如

許南英、汪春源等人都有名於世。為臺灣巡撫唐景崧青睞，邀請入幕，而與臺南府知府羅大佑、臺中丘逢甲日夕酬唱。

乙未（1895）之後內渡，參加商會，主辦貢燕業務；出任同安縣馬巷廳長；入「閩省修志局」。後病卒於鼓浪嶼。〔註114〕

施士洁在教育工作上之表現有令人爭議之處，然亦因此讓吾人看見他勇於突破傳統、嘗試創新之一面。譬如他突破傳統收女性生徒；又譬如他雖然尊敬儒學，卻又輸誠東洋。

1. 敘述教學相關情形之詩作

施士洁乙未內渡前曾經先後掌教白沙書院、崇文書院、海東書院，雖然在目前所能見到之《後蘇龕詩鈔》中，見不到其論及在學校教學之詩作，但卻有〈韻香□□□□□□□□□韻□〉、〈韻香來詩，有「願拜門牆」之詩如韻答之〉、〈次韻香女弟子韻並柬其外子文升〉、〈次韻香（下闕若干字）〉、〈韻香攝影相貽並索題句予報以最近攝影一幀書此綴之〉、〈寄答韻香代柬〉、〈韻香和韻清圓可喜疊韻勖之〉、〈韻香以泰西酒餅相貽作答代簡〉等八首與女弟子韻香唱和之詩。詩中施氏與韻香往來餽贈酬答，雖然其中不免有過誇溢美之辭，但是由他「萬丈塵中一腐儒，忽開明眼看名珠。簪花字格清而婉，漱玉詞華美且都」〔註115〕，驚艷於韻香才華；進而「浪仙枉說黃金鑄，巴里慚賡白雪章。妄引隨園詩弟子，才人定笑老人狂。」〔註116〕欣然答應收韻香為徒；又到互贈照片，往來唱和，亦師亦友之整個過程，吾人一方面看到施氏在當時保守社會風氣下，勇於超越傳統之壯舉；另一方面也知道在當時，新女性思想在臺灣已開始萌芽，她們不但在家中可以接受教育，也可以在公共場合參與文教活動。

2. 尊敬儒學輸誠東洋

以儒師身分，施士洁身處新舊交替時代，開風氣之先，效法明代袁枚延收女弟子。乙未後內渡，因投身商業、政治及文化工作，多元接觸讓他對西方新技術特別重視，他在〈江保生全閩報社三周年祝詞〉中說：「西杰有言，

〔註114〕見施士洁：《後蘇龕合集・弁言》，臺灣文獻叢刊二一五種，臺北：臺銀經研室，1965 年（民 54），頁 1。以下本論文各章所引用此書皆為同一版本，不再贅敘出版地、出版社與出版年。

〔註115〕見施懿琳：《全臺詩》第拾貳冊，施士洁：〈韻香來詩有「願拜門牆」之詩如韻答之〉，頁 225～226。

〔註116〕見同上，施士洁：〈次韻香女弟子韻並柬其外子文升〉七首之五，頁 226。

報章方始，毛瑟百枝，何如片紙。世間神物，鉄軌輪舟，新聞一出，速於置郵。不翼而飛，不脛而走，萬國五洲，一編在手。洛陽紙貴，民智斯開，文明兩字，黃種胚胎」〔註117〕；又在〈聲應報社祝詞〉中說：「一紙報章，神槍五百，電掣風馳，不脛不翼。民國肇紀，立言與功，天留木鐸，用醒群聾。」〔註118〕印刷技術之神奇與報紙傳播能力之快速，讓施士洁眼界大開。

　　而在廈門期間，施士洁一方面對中國傳統儒學表示尊敬，在〈旭瀛書院三周年祝詞〉中說「緬惟三古，殷序、周庠，登歌合舞，式煥萹章。」〔註119〕緬懷夏、商、周三代學校教育興盛，歌詩舞樂，煥然成章之世代。又在〈旭瀛書院四周年祝詞〉中說：「嘉禾古里，實海之濱，何圖今昔，六籍灰塵！誰為砥柱，拾芥傳薪？東儒異彩，朗映西鄰。公然校序，遠企夏、殷，神州赤縣，木鐸是徇。」〔註120〕將旭瀛書院視為傳承中國傳統儒學之根據地；而另一方面他也接受日本文化，而在〈旭瀛書舉行畢業禮式祝詞〉中說：「神山古國，歷史光榮，維新一代，萬象文明。賓賓學子，向化輸誠，擔簽負笈，鷺嶼鯤瀛。中、東唇齒，誼本同盟。」〔註121〕在這維新時代裡，萬象更新，文明大進，而旭瀛書院中之彬彬學子，也都能朝著維新方向努力邁進，而且中國與東洋唇齒相依，在情誼上本來就應該是同盟關係。〔註122〕

　　大概因為長時間接觸西方科技文明與東洋思想，施氏雖然在上述三篇旭瀛書院祝詞中，表示對中國傳統儒學之尊敬，但他對死守舊儒學而不敢改變之儒士，卻也表達其無奈與同情。他在〈腐儒〉六首之一中說：

　　腐儒昧生計，財利動相左。然而田舍翁，所失亦云夥。

　　今日峨冰山，明日閃電火。始知造物意，纖巧無一可。

　　問誰宰元工，位置如斯妥。由來達觀者，自待豈瑣瑣。

　　太虛竟非虛，浮雲千萬朵。——《全臺詩》第拾貳冊，頁39）

此六首皆為五言十四句古詩。在此詩中，施士洁道出了當時固守舊儒學傳統

〔註117〕見施士洁：《後蘇龕合集》，臺灣文獻叢刊二一五種，頁391。
〔註118〕見同上，頁392。
〔註119〕見同上，頁392。
〔註120〕見同上，頁393。
〔註121〕見同上，頁393。
〔註122〕廈門旭瀛書院為臺灣總督府所經營，專供臺籍小孩就讀之日文學校，其教育方針據梁華璜所研究論述，乃是臺灣總督府為消滅臺籍人士祖國意識及灌輸日本精神而設，見梁華璜：《臺灣總督府的對岸政策研究——日據時代台閩關係史》之第四篇〈臺灣總督府育廈門旭瀛書院〉，台北：稻鄉，2001年。

之儒者的共同命運——「腐儒昧生計，財利動相左」，腐朽之儒者昧於經營生計，以致財利空虛，生活窘困；而下面四句，施氏則拿田舍翁與儒者相比較，自我安慰一番；最後則總歸於一切皆爲命定，儒者應當學習達觀，不應瑣屑自薄。而以下〈腐儒〉六首之二：

> 九州紛包羅，窺測日幾輩。嗟彼井底蛙，寧識九州大。
>
> 迢迢三神山，乃在九州外。金銀結樓臺，群仙此狡獪。
>
> 聞見所未到，森然動空籟。或者眉與睫，蠡管奈何奈。
>
> 吾將師老莊，胸次絕塵壒。——（《全臺詩》第拾貳冊，頁39）

施士洁感慨於當時守舊儒者見聞狹隘，猶如井底之蛙，渾然不知在聞見所未到之處，尚有一片大天地，因此說「吾將師老莊，胸次絕塵壒」，他自己將以老莊爲師，讓胸襟絕然超乎塵世之外。而至於要如何才能突破自己，讓自己見聞增廣，施氏在〈腐儒〉六首之四中說：

> 薰蕕本判然，同器久即雜。馥郁荃蕙花，忽比茅草葉。
>
> 君子貴擇交，愼始不苟合。但爲宵鶴孤，毋爲水鷗狎。
>
> 松竹梅三友，乃能度窮臘。君看翟廷尉，開門多結納。
>
> 何似陳太守，室中止此榻。——（《全臺詩》第拾貳冊，頁39）

施士洁自知自己是一個不喜與人較高下、爭長短之人，因而在第三首最後二句說：「人自策要津，我只一笑遣」（見《全臺詩》第拾貳冊，頁39。）冷眼旁觀別人爭先恐後爭取高位，施氏說，我只想一笑置之。但爲讓自己增廣見聞，施氏告訴自己，也告訴普天下儒者，不可獨學無友，他說：「君子貴擇交，愼始不苟合」，又說：「松竹梅三友，乃能度窮臘。君看翟廷尉，開門多結納。何似陳太守，室中止此榻。」必須學習翟廷尉開門多結納，結交益友，才能幫助自己渡過艱難困苦之關卡。

　　吾人取以上施士洁有感而發之慨嘆，與對自己與普天下儒者之惕勵，可以間接知道當時儒者之困境與關鍵問題所在處。當儒者選擇的是故步自封、自我封閉，那麼將成不合時宜之腐儒。而至於要如何自處於當時之亂世而不致遭害，施氏在〈腐儒〉六首之五中說：

> 次公醒亦狂，正平裸而罵。我獨愛嗣宗，臧否不說破。
>
> 斯世忌眞率，未語禍已嫁。與其掉舌爭，寧可捫舌罷。
>
> 大道如龍蛇，因勢爲變化。論古雖慨慷，撫今毋叱咤。
>
> 金人實智士，三緘整以暇。——（《全臺詩》第拾貳冊，頁40）

此處施士洁連用「次公醒而狂，何必酒也？」、「正平裸衣罵賊」、「阮嗣宗至慎」三個典故自道處世哲學，說自己「寧可捫舌罷」、「因勢爲變化」、「撫今毋叱吒」、「三緘整以暇」。言下之意極爲清楚，施氏讓自己凡事謹慎，三緘其口，低調行事，順勢而爲以等待時機。筆者認爲此詩乃施氏自嘲自諷之作，因爲詩中他所自稱是謹慎的處世作風，卻用「腐儒」二字來題詩，明顯是在嘲諷自己在此亂世中，選擇此種生存方法，乃亦不免爲一腐儒矣。

施士洁出身書香世家，自幼接受傳統儒學教育，歷經傳統科舉考試，並獲得儒學界的崇高敬仰，不過他在新舊交替的時代衝擊下，選擇毅然跨出儒學的狹窄框架，接受西方科技新知的洗禮。吾人由他的儒學詩，不難看到他對自己的深切省思，唯恐自己一不小心就會落入腐儒的窠臼中。他當時這樣的做法雖然不容於世，但是就今日吾人的眼光來看，施士洁應該可以說是一位能與時俱進的時儒，因此筆者亦將他選出作爲本土儒師代表之一。

三、小　結

清代臺灣本土士子，在經過宦臺儒官長期施以儒學教育下，無論是思想模式或是行事表現，都顯現出儒家彬彬之風，成了當時帶領臺灣社會向上、向前之一股正面力量。尤其是當時由儒學出身之儒學教師，他們與宦臺儒官共同努力，繼續將儒家思想廣布於臺灣每個角落，使儒學對臺灣產生更多影響。

這些臺灣本土儒師，他們與宦臺學官一樣，如果想要擔任學官，在清代迴避政策下，就必須遠離設籍的臺灣本府、本縣，而到本省（筆者按：此處本省指福建省，因爲當時臺灣隸屬福建省）的他府、他縣任職。然而一則機會少之又少，二者渡海風險太大，使得具有教師資格之臺灣本土儒師，大部分寧願留在臺灣，受聘到書院、私塾，或自己設帳教書。

他們所教授之課程內容與府、州、縣儒學相似，卻不需承擔學官之任期與職掌壓力，有更多時間與精神從事教學活動與詩文創作，而所創作之儒學詩類型，也因工作項目不盡相同，而與宦臺學官有些許差異，譬如他們沒有巡社課番童之詩作，因爲沒有這個職掌項目；也不會在意社會風氣對臺灣儒學教育之阻礙，或刻意強調儒學教育對臺灣之成效，因爲這些對他們來說已是習以爲常，不知不覺中的自然之事，不認爲會因此影響臺灣的儒學教育發展。教學對他們來說是單純的工作謀生，不必去背負清廷以儒學教化臺灣之任務。

　　不過一、二百年的儒學教育在臺灣普遍實施之結果，不但造就出許多十年寒窗，一舉成名的庶民士子，也累積出不少世代以儒學傳家之書香家族，譬如章甫、鄭用錫、施瓊芳，便都是來自世代以習舉業傳家之書香家族，因此在他們之儒學詩中，不約而同出現了述及這些方面之話題。又就另外一方面來說，臺灣本土儒師，他們因為長期接受儒學教育，浸潤在儒家思想中，因此他們的儒學造詣程度，毫不遜色於宦臺儒官；表現出來的氣度精神，頗有儒家彬彬君子之風範，這些吾人由章甫、鄭用錫、鄭用鑑、施瓊芳、李望洋、陳肇興等人論儒學或儒家精神之詩作中，一望即知矣。

　　至於有關他們的教學情形又是如何？在他們詩作中，吾人大約可以看到他們的苦與樂兩方面工作寫照。樂的方面是生活自由，譬如章甫、陳肇興便是；學生學而有成一試上榜，譬如章甫、陳維英便是。苦的是私塾主人慳吝小氣，讓他們日子幾乎無以為繼，譬如陳維英便是。當然，除了苦與樂的單純感覺反映外，當時這些臺灣本土儒師，對於儒學傳承也是有其使命感，他們有的強調儒學是他們家族的傳家寶，譬如鄭用錫便是；有的鼓勵莘莘學子要努力為學，更上一層樓，譬如鄭用錫、陳維英、施瓊芳、黃敬、許南英便是。

　　而他們的個人感懷，則大約有幾項，一為對清廷賣科名之不滿，譬如鄭用錫、李逢時便大力抨擊之；二為對清廷抑制他學，獨用儒學經典取士，致學術發展失衡之不滿，譬如鄭用錫便無奈抗議；三為收入微薄生活困苦，譬如陳維英、李逢時便深為此所苦；四為對所學與時代脫節而成腐儒之感傷，譬如施士洁便是，因此在詩作中他表示希望能透過努力嘗試，突破困境、破繭而出。

　　由以上這十一位臺灣本土儒師之儒學詩，吾人以小窺大，應該可以知道清代臺灣本土儒師之儒學造詣與詩文能力，毫不遜色於宦臺學官；他們的生活與宦臺學官一樣都普遍貧苦；他們有傳承儒學之使命感，卻苦於所讀之儒學與時代脫節；他們重視科舉，痛恨清廷出賣科名敗壞學風。只遺憾當時的他們，在時代環境與地理位置雙重限制下，無法全然嶄露頭角發揮長才。

第六章　清代臺灣儒家文學觀與儒學詩藝術表現

　　本章筆者將就著本論文第四章宦臺儒官之儒學詩，以及第五章臺灣本土儒師之儒學詩，析論他們儒學詩之藝術表現，以見清代臺灣儒學詩，它們除了在思想上有儒家明道精神外，另外在詩學美學上亦有其藝術表現之一斑。雖然他們僅是當時眾多儒官與儒師中之一小部分，然而以小見大，筆者認為亦足以管窺當時之大致現象矣。

第一節　清代之儒家文學觀

　　中國文學向來可分為兩大流派，一為唯美派，二為載道派。唯美派之發展脈絡，由西漢司馬相如之古賦正式啟其端，揚雄接其續，他們以長篇累牘、堆砌雕琢之文辭，或歌誦、或諷諭朝政；至魏晉南北朝，潘岳、左思、謝靈運、沈約、何遜等人，他們舖采摛文，專尚華藻；又至初唐四傑，王勃、楊炯、盧照鄰、駱賓王等人，他們雖風調可誦，但不脫六朝纖麗餘風；又至晚唐五代，溫庭筠、李商隱等人，他們文字綺麗、風格纖柔；又至北宋初年，西崑體承襲五代纖佻薄弱之習，風靡一時。〔註1〕

　　至於載道派。載道派之發展，一開始即與儒家思想結合在一起，在發展過程中，又因為成為國家科舉考試之內容類型，因此載道一派發展至清末，仍然相承不絕。

〔註1〕 以上參考澤田總清原著，王鶴儀編譯：《中國韻文史》，臺北：臺灣商務印書館，1984年（民73），頁111～403。

一、北宋以前儒家「文以明道」之文學觀

　　中國文學之載道派始於儒家，而以春秋末戰國初之孔子爲最早起始者，直到中唐以前，都保持著文與道並重之儒家文學觀傳統。依王運熙、顧易生之言說：孔子重視文學，乃認爲文學可以提高人們道德修養，是從事政治社會活動之一個必要條件。〔註2〕而孔子之所謂文學指的就是《詩》，他不但一方面由教育，或是說由教化角度來看《詩》的詩教功能，在〈論語・陽貨〉中說：「詩，可以興、可以觀、可以羣、可以怨；邇之事父，遠之事君，多識於鳥獸草木之名。」近代學者蔡先金論孔子詩教之內涵，甚至把這個內涵析分爲五項，說：「孔子詩教之一：思無邪；孔子詩教之二：興於《詩》、立於《禮》、成於《樂》；孔子詩教之三：邇之事父，遠之事君；孔子詩教之四：以色喻於禮；孔子詩教之五：述而不作。」頗能抓住詩教之意涵。〔註3〕孔子另外一方面又從文藝美學觀點看《詩》，談《詩》的文辭之美，他告訴兒子伯鯉：「不學詩，無以言」，伯鯉於是退而學詩；又談《詩》的韻律之美，將《詩》三百五篇皆弦歌之，「以求合〈韶〉、〈武〉、〈雅〉、〈頌〉之音。」〔註4〕

　　到了戰國時代。孟子憂心「聖王不作，諸侯放恣。處士橫議，楊朱、墨翟之言盈天下。天下之言，不歸楊，則歸墨。」於是效法孔子周遊列國，又積極述作，而說：「我亦欲正人心，息邪說，距詖行，放淫辭，以承三聖者。豈好辯哉！予不得已也。能言距楊、墨者，聖人之徒也。」見《孟子・滕文公（下）》顯然地，孟子是想要用自己的載道言論改變當時亂世，而他的滔滔不絕言論，不但用文以明道，而且文辭波瀾起伏，蔚爲壯觀。

　　到了荀子，郭紹虞在他的《中國文學批評史》中，把中國文道合一之功，推在荀子身上，郭氏說：「傳統的文學觀本來是把明道、徵聖、宗經三種意義合而爲一的，所以我以爲傳統的文學觀，其根基即確定於荀子。」〔註5〕荀子用他善以析論之文辭，將明道、徵聖、宗經三種意義合在其中，辯明儒家思想。

　　先秦文與道並重之「文以明道」儒家文學觀念，到了中唐，得到崔元翰、梁肅、柳勉，以及韓愈、柳宗元很大迴響。柳勉之時代比韓愈略早，他認爲

〔註2〕　見王運熙、顧易生：《中國文學批評史》，臺北：五南出版社，1993 年（民 82），頁 4。
〔註3〕　見蔡先金：《孔子詩學研究》，濟南：齊魯書社，2006 年（民 95），頁 286～302。
〔註4〕　見司馬遷：《史記・卷四十七・孔子世家第十七》，1975 年（民 64），頁 771。
〔註5〕　見郭紹虞：《中國文學批評史》，臺北：五南出版社，1994 年（民 83），頁 23。

文章須含教化作用，而在〈謝杜相公論房杜二相書〉中說：「故文章之道不根教化，則是一技耳」；而韓、柳二人則比柳勉更進一步，不但在文章內容上以文明道，而且在文章形式上回復秦漢古文。尤其是韓愈，他依循孟子的道統觀，在〈原道〉一文說：「堯以是傳之舜，舜以是傳之禹，禹以是傳之湯，湯以是傳之文武周公，文武周公傳之孔子，孔子傳之孟軻，軻之死不得其傳焉。」這個道統說，後來遂成為中國儒學道統傳承說之定論，而使韓愈在道統傳承上，也因此佔有一席之地。

二、兩宋理學家「文以載道」之文學觀

儒家文道並重的「文以明道」文學觀，到了北宋理學家（或稱新儒學家，或稱道學家）手中，不但在文字形式上被更易成為重道輕文；而且在思想內涵上，所謂之道，也從「儒家之道」被更易成為「心性義理之道」。

唐代以前之儒家文學傳統，其所指之文學，在孔子是指《詩》，但從孟子以至中唐的韓柳，則是指「文」而言，也就是所謂散文。到了宋代，由於科舉需要，一般文人都會同時兼顧散文與詩之同步創作，因此吾人要了解宋代之儒家文學觀，也必須分由兩方面去查看。

先說散文方面。儒家「文以明道」之文學觀，到了北宋理學家興起後有了很大改變。中唐時期之韓柳古文運動，到了宋初被照單全收，歐陽修、三蘇、曾鞏、王安石，循著韓柳路線，繼續以明道作為文章內容。郭紹虞說：「宋初之文與道的運動，可以看作韓愈的再生，一切論調主張與態度，無一不是韓愈精神之復現，最明顯的，即是「統」的觀念。因有這「統」的觀念，所以他們有了信仰，也有了奮鬥的目標，產生以斯文斯道自任的魄力，進一步完成「摧陷廓清」的功績。」但是理學興起後，雖然接受韓愈以後之道統觀念，但是同時又繼承佛道思想，而由周敦頤開始有「文以載道」之說，他雖然重道，但轉向輕文。到了程顥、程頤，二程認為「有德者必有言」、「作文害道」；二程之後，程門弟子對文與道之關係繼有續說，但都是傾向重道輕文，甚至走入極端，認為在「於道有得」之後，只需要力行，連文字都可以不要。

而究竟理學家「以文載道」與古文家「以文明道」有何差異，郭紹虞說：「古文家的目標在學文，學文既久，則才於道也有所得。而道學家的目標就在求道，於道有得，則得魚忘筌，也就不重在文。所以第一步，著手之處就不一樣。再有，『為文』的作用，在道學家看來是載道，在古文家看來是明道。

載道則文是道的工具，明道則文是道所流露。」郭紹虞這段文字，清楚地將理學家與古文家之不同處點出來，理學家將古文學家原來的「文」與「道」並重，更易成爲「重道輕文」；也明白地呈現一個事實，就是不管理學家或古文家，其實他們都不否認，可以透過文章傳達他們的道統觀念，換言之，文章是傳達道統觀念的一種工具。

到了南宋，南宋理學家繼承北宋理學家重道輕文之文學觀，對古文家文道並重之文學觀多所反對，若以南宋理學家之代表朱熹來說，他甚至抨擊古文家，說古文與時文之危害人是一樣的。因爲一些古文家往往假古文家之名，不但奔競鑽營於利祿之途，且專事「文辭組麗之習，見聞掇拾之工」（《答楊子順書》），而其實他們心中已根本不知「道」在何處。朱熹這種言論，很明顯是繼承程頤作文害道之觀念而來。也因爲反對古文家末流弊端，朱熹認爲「文字自有一個天生成腔子」（《語類》卷八），並不需要人爲特別去安排他，只要明白自然即可。

再說詩作方面。相同於對散文主張道重於文，甚至不需要文；北宋理學家譬如程頤，他對詩更是輕視，認爲詩是「閒言語」、「所以不常作詩」（《二程遺書》十八）。不過這並不代表北宋理學家不了解詩，郭紹虞對此，說了一段很貼切的話，他說：「道學家之詩論，儘管如何偏於極端，但是不能說他們不了解詩。所可惜的是他們太泥於道的方面，於是一方面只承認《詩經》的詩而否定了後人的詩；一方面儘管於道有所體會，但也只能成爲『濂洛風雅』一類的詩，依舊不能成爲像詩經這般反映現實的詩。」

因爲對詩有如此偏見，所以北宋理學家不常作詩，即使作詩，也只是在自得其樂，並不重視詩歌文辭之雕琢，譬如邵雍，他在《伊川擊壤集》之自序中便說：「《擊壤集》，伊川翁自樂之詩也；非唯自樂，又能樂時與萬物之自得也。」也因此他自道自己的詩：「行筆因調性，成詩爲寫心；詩揚心造化，筆發性園林。」（《擊壤集》十七）

到了南宋，南宋理學家延續北宋理學家對詩之看法，認爲詩不需雕琢，只在能反映自己內在之心志。譬如朱熹他便說：「熹聞詩者志之所之，在心爲志，發言爲詩，然則詩者豈復有工拙哉，亦視其志之所向者高下何如耳。是以古之君子，德足以求其志，必出於高明純一之地，其於詩固不學而能之」（《朱文公文集·十九·答楊宋卿書》）。〔註6〕

〔註6〕 以上俱見郭紹虞：《中國文學批評史》，頁 121～234。

三、清廷對前代文學觀之融合

北宋以前儒家文道並重「文以明道」之文學觀，到了北宋理學家手中，不但在文字形式上被更易成為重道輕文的「文以載道」；而且在思想內涵上，所謂之道，也從「儒家之道」被更易成為「心性義理之道」。不過這種情形，到了清代又有新的改變，而這個改變者，倡其先聲的便是清廷本身。清廷將以前互不相容的「文以明道」與「文以載道」兩種文學觀加以融合。雖然這樣的倡導，在民間文學界或學術界不一定會被完全遵循；但是當它被變成一種典章制度，而且被放在學校教育中，成為一種硬性規定以及國家考試方式、甚至是考試內容時，那麼凡是接受過學校教育之讀書人，便也無一可以躲過這些觀念之薰陶，而在他們身上留下或多或少之影響。

而清廷究竟為何要融合「文以明道」、「文以載道」文學觀為一鑪。筆者認為其原因有二：一方面乃為快速安定人心與社會。清廷以滿族入主中原，為能快速安定人心與社會，在典章制度上不得不以承襲前代為主，若以教育制度來說，明代以八股取士，專用四書五經命題試士，而四書五經乃是儒家之代表經典，所以獨尊儒家；又儒家之代表人物為孔子，所以崇奉孔子；二方面乃為統治之方便。宋理學家雖然「文以載道」之「道」，在思想內涵上是心性義理，但是他們主張力行重於文字，更何況宋理學家的心性義理，在本質上還是屬於儒家，而當儒家思想嚴格地去力行的結果，它很自然的便會成為一種儒教約束，君臣、父子、夫婦、兄弟、朋友之五倫關係，也便得以在約束中秩序互動，而方便清廷統治政權之順利運作。

在當時那個除了語言之外，文字為唯一可以廣泛傳播訊息之時代裡，如果沒有「文」，那麼任憑有多麼好的「道」亦是惘然。就是因為「文」很重要，因此在雍正、乾隆之聖諭中，都出現有正文體之諭文，譬如雍正十年〈諭正文體〉、乾隆四十四年〈釐正文體上諭〉、乾隆五十三年〈禁絕小說淫書上諭〉。（請詳見本論文第二章）

不過，清廷雖然認同「文以載道」，但顯然對文辭之要求，還是傾向「文以明道」的對「文」之重視，雍正在十年（1732）的〈諭正文體〉中說：「韓愈論文云：『惟陳言之務去』；柳宗元云：『文者所以明道，不徒務采色、夸聲音而以為能也』。況『四書文』號為經義，原以闡明聖賢之義蘊；而體裁格律，先正具在，典型可稽。」由此段話，吾人知道雍正不但對「文」的文辭有所要求，甚至體裁格律都須效法先正典型。至於乾隆也是一樣。乾隆在

四十四年（1779）的上諭中說：「文以明道，宜以清眞雅正爲宗。」又說：「嗣後作文者，務宜沉潛經義，體認先儒傳說，闡發聖賢精蘊，務去陳言，詞達理舉，以蘄合於古人立言之道。」在此，吾人可以明顯看出，乾隆之文學思想乃是繼承雍正而來。

　　由以上二段話，吾人更確定知道，清廷雖然取宋理學家「文以載道」之文學觀，但是只取它「道」的力行意義，以用來實踐儒家理論思想，成爲具體倫常表現；至於「文」的部分，則仍以將文與道視爲等重之「文以明道」說爲主。而且不但對無韻之文重視如此，對有韻之詩的重視亦然，因此在乾隆二十二年（1757），議准由二十四年己卯（1759）開始，在鄉試第二場經文之外，一律再加考「五言八韻唐律一首」〔註7〕，以示對詩之重視。

第二節　清代臺灣學規中宦臺儒官之儒家文學觀

　　就是因爲認爲「文」很重要，因此清代宦臺儒官，當他們在草擬學規以讓學生作爲遵循時，都會不約而同地，將有關於詩文之條文寫入學規中，而其條文內容或說明詩文之重要性，或教導他們如何研讀詩文，或如何寫作詩文等等不一而足，皆反映了這些宦臺儒官之文學觀。而這些文學觀，在透過各個學校之學規，並且經過這些宦臺儒官之口頭傳授，灌輸到臺灣本土士子之腦海中後，吾人發現，臺灣本土士子之文學創作，包括詩文在內，他們也都認爲，詩文以能明道，含教化人心意義者爲文學正體，而且對詩文之文辭、體裁、格律亦皆莫不講求。

一、書院學規中之儒家文學觀

　　清代臺灣本土士子在求學過程中，一路從啓蒙階段開始，即被有計畫地教導以儒家學說，塑造成一位思考模式、行事作風，甚至文學風格都儒學化之儒士。以下筆者即先由書院學規觀察臺灣本土士子被儒化之過程，以明白清代臺灣儒學詩明道特色緣起。

────────────────

〔註7〕見李汝和主修：《臺灣省通志・卷五・教育志・考選篇（第一冊）・第二章清代之考選・第一節考選制度誌要・第一項沿革要略》，頁13。

（一）劉良璧〈海東書院學規〉〔註8〕

劉良璧，生卒年不詳，字省齋，湖南衡陽人。康熙四十七年（1708）舉人，雍正二年（1724）進士。雍正五年（1727）調任諸羅知縣，雍正七年（1729）秩滿。乾隆二年（1737）由漳州海防同知陞任臺灣知府，乾隆五年（1740）陞分巡臺灣道。在臺前後近十一年，《湖南通志》說他狀威猛，清愼強明，能以恩信服眾，在臺任官其間，令行禁止，臺人都敬畏他。又，他對臺灣之風土頗有研究，歷時八個月，於乾隆五年（1740）主持編修《重修臺灣府志》二十卷。〔註9〕

劉良璧除了對風土有研究外，對教育也很關心，他在《重修福建臺灣府志》中說：「國家菁莪造士，文治光昌；薄海文風，蒸興蔚起。臺雖海表，作育數十年，沐浴涵濡，駸駸乎海東鄒魯矣。而猶以重洋之險，士子遠涉維艱，特增解額、興學院；……況乎里社有學，耕夫且習弦歌；番社有學，異類尚知文字。豈特俊秀農民猶與升太學、屯營飛騎亦肄業授經已哉！」〔註10〕臺灣經過數十年教育之後，已儼然成為孔孟儒學之傳承地，不但有府縣廳儒學、書院，也有義學、社學。俊秀農民、屯營飛騎也都入學讀書。

而他關心臺灣教育，最具體之做法便是製訂〈海東書院學規〉訓誡學生：

此學規共有六條，即明大義、端學則、務實學、崇經史、正文體、愼交友。在此六條之中，除第一條明大義，在教導臺灣本土士子君臣之義；第六條愼交友，在教導臺灣本土士子要「以文會友，以友輔仁」外，其餘四條皆與「學」有關。其中第二條端學則，在教導臺灣本土士子為學之態度。至於其餘三條，則反映了他的文學思想。劉良璧在〈海東書院學規〉中所反映之文學思想有三要點：

1. 取法乎上，毋徒以帖括為工

此為第三條務實學。在此條中，他教導臺灣本土士子要「內重外輕」，以「養成深厚凝重氣質」，如此才能「出可以為國家效力宣猷，入亦不失為端方

〔註8〕　見劉良璧：《重修福建臺灣府志・卷二十・藝文・記・巡臺御史楊二酉〈海東書院記〉》，臺灣文獻叢刊第七四種，頁560～561。又見謝金鑾：《續修臺灣縣志》。

〔註9〕　參考施懿琳：《全臺詩》第貳冊，頁138。

〔註10〕　見劉良璧：《重修福建臺灣府志・卷十一・學校・引言》，臺灣文獻叢刊第七四種，頁329。

正直之士」。由此條吾人知道，劉氏所重視者爲內在之修養，至於帖括制藝之文他並不重視。

2. 以經史爲本，時文繫之

此爲第四條崇經史。他教導臺灣本土士子要以六經作爲學問根源，士人若不通經，則不能明理；而史乃用以記事，歷代之興衰治亂之跡，以及賢佞忠奸，善者可以爲法、惡者可以爲戒。因此學者若能努力於經史，則有實用，爲時文之根柢。如果「舍經史而不務，雖誦時文千百篇，不足濟事」。由此條吾人知道，劉氏重視經史之文，認爲時文需以經史爲根本，而非只記憶背誦文辭章句而已。

3. 理必程朱，法則先正

此爲第五條正文體。他教導臺灣本土士子，無論哪個時期，無論何人之帖括制藝爲風尙之趨，其實最重要者是「理必程朱，法則先正」，「取法宜正，立言無陂」。諸生需以程朱之學爲理，取法先賢，立言不能有所偏頗。由此條吾人知道，劉氏以程朱爲文學正體，帖括制藝之文需以程朱之理爲理，取法先賢，立言始能不偏頗。

（二）覺羅四明〈勘定海東書院學規〉[註11]

覺羅四明（請詳見本論文第四章）。此篇〈勘定海東書院學規〉，是他在乾隆二十六年（1761）任臺灣道兼提督學政時所作。學規中依其順序共有端士習、重師友、立課程、敦實行、看書理、正文體、崇詩學、習舉業等八項要點。這八項要點若吾人將之加以分類，大約可分成三端：一爲立品德，二爲爲學之道，三爲文學之事。其中端士習、重師友、敦實行屬立品德一端；立課程、看書理屬爲學之道一端；正文體、崇詩學、習舉業屬文學之事一端。而合此三端，吾人所看見者儼然是夏之芳、張湄文學思想之具體實施方案；而若再推溯本源，則明顯可見覺羅四明此學規，乃是沿襲清順治九年〈臥碑〉、康熙四十一年〈御製訓飭士子文〉、雍正十年〈諭正文體〉、乾隆五年〈太學訓飭士子文〉、乾隆四十四年〈釐正文體上諭〉、乾隆五十三年〈禁絕小說淫書上諭〉等而來。以下筆者姑且先略去前二部分，專論文學之事一端。覺羅四明在〈勘定海東書院學規〉中所反映之文學思想有三要點：

[註11] 見余文儀：《續修臺灣府志・卷八・學校・書院・海東書院》，臺灣文獻叢刊第一二一種，頁 356～358。

1. 取法先賢，以端正文章之體

此為學規第六條正文體。正文體中說：「我朝氣運昌隆，人才輩出，國初如熊、劉諸公外，張京江、韓慕廬、李文貞公輩，皆能精理內涵，浩氣外達，誠足以日月經天，江河行地矣。即近代以來，風氣稍異，而清真雅正，明訓昭宣。其作文直抒所見者，如桐城方氏、金壇王氏、宜興儲氏、張百川、任翼聖數家，實能以濂、洛、關、閩之理，運王唐歸胡之法者，學者尤不可不奉為圭臬。至夫合選善本，如欽定四書文外，王罕皆分種八編，殊有層級可循，無吊詭龐雜諸弊，宜所傳習外。若矜奇好異，軋茁字句以炫聽聞，概所弗錄。」

在此條中，覺羅四明教導臺灣本土士子必須端正文體，寫作文章向熊、劉等人學習「精理內涵，浩氣外達」；向桐城方苞等人學習「直抒所見」；要選擇如《欽定四書文》等之「合選善本」來讀。至於其他，則勿取之。

2. 崇尚詩學

此為學規第七條崇詩學。崇詩學中說：「詩以理性情，學者所宜習。……今聖天子覃敷文教，更定取士程式，自丁丑試貢士於禮闈，易二場，表判加試八韻詩一首，厥後著為令甲。凡直省鄉試以及學臣科、歲兩試，或八韻或六韻，皆得諧聲比律，學為應制體。比年以來，士之喁喁向化者，諒無不揚風扢雅，以蘄至古之立言者矣。……諸生倘欲習之有素，宜取唐人試帖，如國秀集、中興閒氣集、近光集，近代試帖如玉堂集、和聲集、依永集等書，朝夕諷詠，心和手柔，自足以鼓吹休明，而無鄙野之譏矣。」

在此條中，覺羅四明教導臺灣本土士子，詩可以陶冶性情，因此學者必須學習；而且詩又是取士之考試科目之一，因此更須平時就取譬如《國秀集》、《中興閒氣集》、《近光集》之唐人試帖，以及近代《玉堂集》、《和聲集》、《依永集》等試帖練習之，自然就可以心和手柔，而足以無鄙俗之氣。

3. 舉業與理義之學實為一事

此為學規第八條習舉業。習舉業中說：「今人分舉業與理義之學為兩段事，謂舉業有妨於理義之學。此說非也。蓋舉業代聖賢立言，必心和氣平，見解宏通；自綱常名教以及細微曲折之理，萬有畢備，然後隨題書寫，汨汨而來。此正留心理義之學者，乃可因之以發其指趣。朱子曰：『使孔子在今日，也須應舉』，正此意也。至夫闈中應制文字，作者、閱者針介相投，尤必渾厚嚴整，斂才就法，使不失對揚之體，蓋其慎也。乃世之論者，動以墨卷為腐

爛不堪之物,斥曰墨腔;相與菲薄,搖唇弩目而共戒之;此其末流之失,非國家設科取士之意本然也。……今願與世之習舉業者,息心靜氣,守前輩之金針,發儒先之閫奧,精實確當,卓然不磨,則以爲拜獻之先資可也,以爲經傳之羽翼亦可也。如必以傳世售世分文章之低昂,理學舉業分學術之眞僞,使學者工夫有兩樣做法,亦淺之乎視舉業耳。」

在此條中,吾人發現覺羅四明與劉良璧在看待帖括制藝上觀念相異。劉良璧所反覆強調者在重程朱理學而輕帖括制藝;而覺羅四明則鼓勵學生,習帖括制藝以攻舉業,與理義之學實爲一事。他認爲是習舉業乃是在代替聖賢立言,因此應該努力爲之。

覺羅四明此學規對臺灣本土士子影響很大,許多臺灣本土士子之立品德、研文藝、習舉業之觀念與做法都是由此而來。(請詳見本論文第五章)

(三)胡健〈文石書院學規〉〔註12〕

胡健(請詳見本論文第四章)。此篇〈文石書院學規〉,是他在乾隆三十一年(1766)任澎湖廳通判時所作。學規中,依其順序共有重人倫、端志向、辨理欲、勵躬行、尊師友、定課程、讀經史、正文體、惜光陰、戒好訟等十條要點。

其中前五條重人倫、端志向、辨理欲、勵躬行、尊師友,以及最後一條戒好訟,乃是胡健教導臺灣士子修養品德、待人接物之事;而第六條定課程與第九條惜光陰,則是胡健勸勉臺灣本土士子要把握時間努力向學。至於中間第七條讀經史,以及第八條正文體,胡健談文學相關之事,反映了他的文學思想。胡健在〈文石書院學規〉中所反映之文學思想有二要點:

1. 經史並重

在第七條讀經史中,胡健告訴臺灣本土士子讀經史之重要性。他說:「經,經也;史,緯也。學者必讀經,而後可以考聖賢之成法,則亦未不讀史而後可以知人論世者也。是十三經,二十二史,非學者所必讀之書,而爲學問之根柢者哉?今國家取士,鄉、會第二場,試經義四篇,所以重經學也;至於第三場,多有以史事策試者。史學亦何嘗不重,是經之於史,有不容以偏廢者也。」在此,他認爲十三經、二十二史很重要,乃學問之根柢不可偏廢。

〔註12〕見林豪:《澎湖廳志·卷四·文事·書院·學約》,臺灣文獻叢刊第一六四種,頁112～120。

胡健不反對世之學者把讀經史當作是爲作文而設，他認爲「此等讀書雖無心性之益，猶有記誦之功」，並且進一步教導臺灣本土士子，可以模仿歐陽修之限字讀書法，大約日讀三百字，如此四年可讀畢《四書》、《五經》、《周禮》、《左傳》諸經書；又依此做法，那麼史亦可盡讀。

2. 文體須「正」以載道

在第八條正文體中，胡建偉告訴臺灣本土士子，文章乃是用來承載聖人之道者。他說：「文所以載道也，穠纖得中，修短合度，莫不有體焉。是體也者，文之規矩準繩也，而可不正乎？」胡健告訴學生，文體爲文章之規矩準繩，因此不可不正。爲此，他進一步又教導臺灣本土士子，若「欲正文體，更當先正題目。如欲出搭題以試學人之靈思妙緒，亦不得過爲割裂，以致首尾不貫，上下無情。近見坊本，率多牽如兩馬之力，與齊饙等題。學者遇此，亦安得不無中生有，支離附會耶？」在此，他一方面告訴學生，作文時文體必須「正」以載道；另一方面告訴命題之教師，在出題時必須先正題目，不得過於割裂，否則學生如何不無中生有、支離附會？

（四）楊桂森〈白沙書院學規〉〔註13〕

楊桂森（請詳見本論文第四章）。此篇〈白沙書院學規〉，是他在嘉慶十五年（1810）任彰化知縣時所作。學規中，依其順序共有讀書以力行爲先；讀書以立品爲重；讀書以成物爲急；讀八比文；讀賦；讀詩；作全篇以上者之學規；作起講或半篇之學規；六、七歲未作文者之學規等九條要點。

此學規之前三條，楊桂森教導臺灣本土士子讀書之要務與目的，屬於立品德一端，強調讀書固然重要，而品德修養一樣重要。學規之第七、八條，他爲臺灣本土士子訂立一份研讀八比文、賦、詩之課程表，巨細靡遺。學規之最後一條，也就是第九條，他則爲臺灣蒙童也訂立一份學習課程，包括有《弟子規》、《詩經》、《書經》、《大學》、《中庸》、《論語》、《孟子》等。

至於中間三條，也就是讀八比文、讀賦、讀詩，楊桂森則用來討論文學相關之事，反映了他的文學思想。今筆者姑且直接切入中間三條，看他的文學思想。楊規森在〈白沙書院學規〉中所反映之文學思想有三要點：

〔註13〕見周璽：《彰化縣志・卷四・學校志・書院・白沙書院學規》，臺灣文獻叢刊第一五六種，頁 143～146。

1. 要辨明每一家八比文之眉目

嘉慶中葉宦臺之楊桂森在〈白沙書院學規〉中所反映的文學思想，已非如雍、乾年間之劉良璧，與乾隆中葉之覺羅四明，尚停留在對帖括制藝反對或認同之討論；而是接續覺羅四明對帖括制藝之認同，並且再更進一步教導臺灣本土士子，如何學習帖括制藝、詩、賦。

在第四條讀八比文中，楊桂森教導臺灣本土士子如何讀八比文，他在學規中說：「成化之渾穆，正、嘉之深厚闊大，隆、萬之架取機法，啟、禎之精粵透闢，國初之瑰偉雄壯，要辨得體段出來。凡讀一家，要辨明一家眉目。畢竟規模氣象，各有互異。不可粗心囫圇讀去。」他說，對於明代之憲宗成化年間八比文之渾穆；武宗正德、世宗嘉靖年間八比文之深厚闊大；穆宗隆慶、神宗萬曆年間八比文之架取機法；熹宗天啟、思宗崇禎年間八比文之精粵透闢，以及清初八比文之瑰偉雄壯，都要能夠分辨得出它們之體段，不可囫圇吞棗硬讀就算。

2. 讀賦須尋求正路

在第五條讀賦中，楊桂森教導臺灣本土士子如何讀賦，他在讀賦中說：「三都、兩京、子虛、上林，雄厚麗則之正規者。律賦始於唐，亦莫精於唐。宋人賦則單薄矣。讀者於古賦、律賦，俱要尋求正路，不可扯雜。」他說，西晉左思之〈三都賦〉；東漢張衡之〈兩京賦〉；西漢司馬相如之〈子虛賦〉、〈上林賦〉等賦都是雄厚麗則的正規者。另外，又如唐代之律賦，也是精實可以取法。

3. 各類詩體須分別取法

在第六條讀詩中，楊桂森教導臺灣本土士子如何讀詩，他在讀詩中說：「五古要讀漢、魏、六朝，七古要讀杜甫、溫庭筠，五、七律要讀初唐，五、七排律莫盛大於本朝制作明備之時，亦多士之幸者，其勉之。」他在讀詩一條中，分別列出說，五言古詩；七言古詩；五、七言律詩；五、七言排律之可取法者，以讓學生便於遵循。

（五）林豪〈續擬學約八條〉〔註14〕

林豪（請詳見本論文第四章）。此篇〈續擬學規八條〉，乃是接續胡健之〈文石書院學規〉而來，是林豪在同治七年（1868）任澎湖文石書院主講時

〔註14〕見林豪：《澎湖廳志·卷四·文事·書院·學約》，臺灣文獻叢刊第一六四種，頁 120～124。

所作。學規中，依其順序共有經義不可不明也、史學不可不通也、文選不可不讀也、性理不可不講也、制義不可無本也、試帖不可無法也、書法不可不習也、禮法不可不守也等八條要點。

此八條要點，除了第七條林豪教導臺灣本土士子如何寫字，以及第八條教導學生必須講究品德謹守禮法之外；其餘六條皆在討論文學之事，反映了林豪之文學思想。隨著清廷科舉制度之持續實施，越至清末之學規，宦臺儒官越不去討論制義（藝）、試帖到底好或是不好，而是非常鄭重其事地直接教導臺灣本土士子要如何把他們寫好，以便在科場上奪冠，譬如林豪便是一個典型。林豪在〈續擬學規八條〉中所反映之文學思想有六要點：

1. 要用世必先明經義

在第一條「經義不可不明也」中，林豪告訴臺灣本土士子要用世必先明經義，他說：「士君子窮經將以致用。必能明其義蘊，斯識見定，理解精，持論有本有末，以之用世，自無難為之事。如漢儒以經義決獄，以〈洪範傳〉推度時事，均能脗合。故先哲謂《論語》半部可治天下，非危言也。治經者，必先讀「註疏」，擇精語詳而歸於一是。若場屋與考經解，則以眾說為波瀾，而以御纂及朱子之說為主腦。朱註雖為時所尚，要當分別觀之。」林豪認為經義為治世之本，而治經之法，要先從「註疏」入手，擇其精萃之語加以整合歸納之。而為了因應科場需要，經解以御纂及朱子之說為主，再輔以眾說。由此，吾人可明顯看出，林豪所謂不可不明經義，其實目的有二：一是為用世，二則是為因應科場需要。他的重視科舉於此亦不言可喻矣。

2. 要增長知識必先通史學

在第二條「史學不可不通也」中，林豪告訴臺灣本土士子要通正史、編年史、紀事史之所謂三史，才能增長知識。而通三史之後能有三益，他說：「一可知古今之事變，人品之賢否；一可識史家筆法，與義例之異同；一則典雅字句，隨意摘出，可為行文之取資沨注，更覺靡盡。……故有時讀至疑難之事，試掩卷思之，設身處地當如何處分？而後觀古人如何處分。其增長知識，尤不少焉。」

3. 要筆下超出時人必先讀文選

在第三條「文選不可不讀也」中，林豪告訴臺灣本土士子，若要筆下超出時人必先讀文選。他說：「《昭明文選》一書，為古學之總匯、詞賦之津梁。

自唐以來，如老杜猶教兒熟精選理，豈得以難讀而置之？……昔人謂做秀才者，胸中目中無《綱目》、《文選》二書，何得謂秀才哉？蓋惟習此二書，則胸中乃有古人，而筆下方能超出時人耳。」由此，吾人可看出林豪對「《昭明文選》」一書之重視。

4. 要開物成務必先講性理書

在第四條「性理不可不講也」中，林豪告訴臺灣本土士子，若要開物成務必先講性理書，他說：「我朝儒臣所輯《性理精義》，皆採擇有宋先賢五子之學，若《通書四銘》及《太極圖說》，詞旨深遠，皆理學之至精者也。……蓋是書所賅甚廣，苟能明其一義，推而出之，亦足以開物成務。」由此，吾人看到林豪雖然重視科舉，但他也兼顧義理之書，不因此而偏廢。

5. 為制義之文必先求實學而有所本

在第五條「制義不可無本也」中，林豪教導臺灣本土士子，為制義之文必先求實學而取法於上，他說：「若但能就制藝、試帖以求，則詩文未必能工。蓋胸中無數千卷書，安能讀出手眼，下筆沛然？……至於題有層次，前後不可凌躐也；題有神理一字不放過也。典題用經義，貴能融化；理題靠朱註，貴有洗發手法。題尤要聯貫有情，補側得宜。能如是，是亦足矣。先儒（云）：『文以載道』；又云：『時文代聖賢之言，雖不敢執此以律時賢，亦安敢不力求實學，而取法於上哉？』」由此可知，林豪不但不反對制義之文，還教導臺灣本土士子，如果要將制義文寫好，必須讀千卷書，要用經義典題、用朱註理題。

6. 為試帖之詩須有所取法

在第「六條試帖不可無法也」中，林豪教導臺灣本土士子，為試帖之詩必須有所取法，他說：「自乾隆二十二年，文場始加試帖一首，排比聲韻，法至嚴密。一字不叶，則前功盡棄，可不慎歟？」而他所取法之試帖，莫如「有正味齋」，而九家詩次之，七家次之；古學則以唐律為根柢，而行以館閣格式；古學經解，可以在小試中容易勝出，亦應學習。而以《律賦新編》及《賦學指南》二書，作為入門之徑。

二、義塾學規中之儒家文學觀

清代臺灣義學之設置，筆者已詳述於本論文第三章，在當時，這些義塾大約都會有一些約束塾師與塾生之塾規，而至今吾人猶可見者，就屬恆春縣

義學之兩篇塾規最普遍。恆春直到光緒元年始設縣，自光緒元年（1875）至光緒十三年（1887）之恆春文教發展狀況，筆者亦已詳述於本論文第四章。

（一）周有基〈學規七條〉〔註15〕

周有基為恆春設縣後第一位知縣，在任職期間，他認為恆春地區偏遠荒僻，「義學不妨多設」，於是由光緒元年（1875）起陸續開義塾，經裁定共有十五處，並且擬定學規七條。此七條塾規，所針對者為剛接受啟蒙教育之童稚，因此塾規內容與書院學規大不相同，而由此塾規，亦可看到當時這些宦臺儒官之文學思想。

此篇〈義塾學規七條〉是周有基任恆春縣知縣時所作。學規中之內容，依其順序，先敘述與文學思想無相關者：第一條乃關於塾師延聘問題；第二條乃關於塾生人數問題；第三條乃關於塾師脩金問題；第四條乃關於敬惜字紙問題；第六條與第七條乃關於塾生之學習方法問題。

而至於第五條，便是塾生之學習內容。周有基在條文中，詳細規定教學內容與教學方法，要求塾師遵循。他說：「塾師教迪學生，先以《三字經》，繼以《朱子小學》，再讀《四書》。每逢朔望清晨，謹敬講解《聖諭廣訓》及《陰隲文》等書。月終，塾師將每學生名下，註明所讀何書？至何章？何節？何句？列單報縣備查。」由此條，吾人清楚看到周有基之儒家文學觀。

（二）陳文緯〈手訂塾規〉〔註16〕

光緒十四年（1888）四月二十九日，知縣高晉翰上稟通過，在恆春縣內設專教番童一塾，並派定閩籍九塾，粵籍六塾，逐年照章考校課讀。不過日久生惰，弊端叢生，以致於塾師對塾生之功課全然不顧，造成設塾以後將近二十年，居然民番各童，仍無一人能文及講貫經書。光緒十八年（1892）七月十九日，知縣陳文緯抵任，目睹諸弊端，停止會課舊章，並透過甄別各塾師詩文一場方式，以定次年教讀之取去，並且手定塾規，分給各塾師，遵章教讀。

此篇〈手訂塾規〉是陳文緯任恆春知縣時所作。學規中之內容，依其順序，先敘述與文學思想無相關者：第一條授書之課，乃關於塾師之教學方式，第二條學字之課，乃關於塾生學習書法之事；第四條禮義之課，乃關於塾生

〔註15〕見屠繼善：《恆春縣志・卷十・義塾》，臺灣文獻叢刊第七五種，頁 195～196。
〔註16〕見同上，頁 212～215。

禮節之學習；第五條乃關於塾師之聘任問題；第六條乃關於塾師之缺席問題；第七條乃關於義塾之校園安全問題。

　　至於第三條詩文之課。陳文緯除了規定塾師如何作詩文教學外，他又告訴塾師所選作教材之詩文，「文以清眞雅正爲宗，詩以溫柔敦和爲則」，而且要授《四書》，逢三、六、九日，命四書題、詩題各一枚，以作文之多寡、定時辰之長短，依時完成，由塾師評定之。由此條吾人亦看到陳文緯之儒家文學觀。

第三節　清代臺灣儒家文學觀之發展

　　在經過清廷長時期刻意灌輸「文以明道」觀念之後，清代臺灣本土士子對文學之觀念，亦以能含有教化意義者爲文體之正；再加上清代科舉考試，一直都是以《四書》、《五經》爲命題範圍，又在乾隆二十二（1757）年議准，由二十四年己卯（1759）開始，在鄉試第二場經文之外，一律再加考「五言八韻唐律一首」。爲此，學生平常在學校即得天天練習，學古代聖賢口氣說話，爲他們代言。長此以往之下，臺灣本土士子不僅在觀念上認同儒家文學觀，而且所創作之詩文也充滿聖賢講道勸諭氛圍。

一、由試牘序看宦臺儒官對本土士子之嘉許

　　所謂試牘是指科舉考生之試卷。清代在臺灣建廟修學，康熙二十六年（1687）臺灣的臺灣府、臺灣縣、鳳山縣、諸羅縣等四學新開科舉員額。於是臺灣士子傾心挹智，爭競舉業，浸濡既久，詩文詞章煥然可觀。宦臺儒官珍寶之，而爲之裒集成冊，作爲平日課士範例之用。

（一）陳璸〈臺廈試牘序〉

　　陳璸在康熙四十九年（1710），由四川提督學政，調任臺廈道兼提督學政。五十四年（1715），陞偏沅巡撫，當時距離清廷領臺有 27 年～32 年，因此他在〈臺廈試牘序〉中說：「然臺自置郡建學，生聚而教訓之，近三紀矣」。

　　陳璸任臺廈道兼提督學政而主持歲、科考時，雖然距離清廷領臺，時間只有二、三十年，但其實臺灣實施儒學教育始於永曆十八年（1666）明鄭駐臺時，而清廷因之。若吾人以此計算，則當時臺灣士子接受儒學教育，至陳璸之時已將近有 50 年之久。因此陳璸說：「四庠弟子員，英才濟濟，將不止

一姜唐佐其人。予備兵茲土，兼有校士責。庚寅、辛卯歲科試，見佳文美不勝收，以爲此皆七閩山川秀靈之氣別起一支，騰踔於蛟宮鼉渚之側，其離奇光怪，屛之愈遠，藏之愈固，則發之也亦愈難掩。」〔註 17〕由以上序文，吾人可看出陳璸對臺灣士子之詩文程度讚譽有加。

（二）夏之芳〈海天玉尺編初集序〉

夏之芳在雍正六年（1728），以巡臺御史兼提督學政身分宦臺，留任一年，主持歲、科兩試，因爲歲試告竣，因此夏之芳挑選試卷中「尤雅馴者」予以出版之，因此而有〈海天玉尺編初集〉一書，當時距離清廷領臺已有 45 年。集序中，他對臺灣本土儒生殷殷勗勉，而在先就臺灣當時之普遍現象作一敘述，他說：「夫臺灣，山海秀結之區也。萬派汪洋，一島孤峙，磅礴鬱積之氣亘絕千里，靈異所萃，人士必有鍾其秀者。況數年來，沐國家休養教育之澤，涵濡日深，久道化成；固已家絃戶誦，蒸蒸然共躋於聲名文物矣。」〔註 18〕夏氏在序言中以臺灣地理位置爲始，指說臺灣爲一靈秀之地，必當出傑出人士；而以清廷教育之事爲功，指說臺灣在長期儒學教育涵濡下，儒教思想已入於人心，表現出一片文明昌盛之氣。

接著他勗勉儒生，「士」爲四民之首，有帶領作用，士習正，則社會風俗端正；士習不正，則社會風俗將落入邪辟。因此爲學，「士先器識、而後文藝」，士子之學習，首先在「器識」，而後才是「文藝」。誠能做到「讀書績學、修身立品，使文章積爲有用；而又以其詩書絃誦，馴其子弟、化導鄉人，俾淳龐和氣遍於蠻天菁嶺間」，那麼就可以「上以鼓吹休明，下以轉移風俗」。

由以上夏之芳之序言，可知他對臺灣本土士子之要求，是以培養品德爲先，而將儒學經典作爲馴化子弟與鄉人之媒介，最後以達於有益家國、轉移風俗之效。

（三）夏之芳〈海天玉尺編二集序〉

至於〈海天玉尺編二集序〉由來，夏之芳在〈海天玉尺編二集序〉中說，在歲試結束後，挑選歲試生中文章之拔萃者付梓之（筆者按：即〈海天玉尺編初集〉），原本因爲必須出巡南北，加上三年瓜期將屆，擬將科試工作留待

〔註 17〕　見陳璸：《陳清端公文選》，臺北：臺銀經研室，臺灣文獻叢刊第一一六種，頁 29～30。

〔註 18〕　見劉良璧：《重修福建臺灣府志·卷二十·藝文·序·巡臺御史夏之芳·海天玉尺編初集序》，臺灣文獻叢刊第七四種，頁 532～533。

下位接任者，不久奉朝廷之命留任，因此於春三月舉行科試。當時臺灣生童莫不興奮雀躍，「應試者幾倍歲試之半」。因此乃依前例，亦編輯其中秀拔者成集。

在集序中，夏之芳分析臺灣儒生之文章風格，說：「臺士之文多曠放，各寫胸臆，不能悉就準繩。其間雲垂海立、鰲掣鯨吞者，應得山水奇氣；又或幽巖峭壁、翠竹蒼藤，雅有塵外高致。其一瓣、一香、一波、一皺，清音古響以發自然，則又得曲島孤嶼之零烟滴翠也。海天景氣絕殊，故發之於文頗能各逞瑰異。至垂紳搢笏、廟堂黼黻之器，則往往鮮焉。固其士之少涵育，亦其地之風氣僻遠而遠也。」〔註19〕

在此集序中，夏之芳仔細評析臺灣本土儒生之文章風格，指出儒生之文章風格，因臺灣特殊地理環境之故，而呈現多種不同樣貌，要皆「頗能各逞瑰異」。不過，夏之芳延續他在〈海天玉尺編初集序〉中，用「士先器識、而後文藝」、「上以鼓吹休明，下以轉移風俗」之先品後文，上以讚頌美好盛世、下以移風易俗之標準看儒生文章，認為臺灣本土儒生之文章，還是缺乏朝堂命臣之大氣象。

由以上二集序，吾人知道三端。一是夏之芳之文學思想為「士先器識、而後文藝」、「上以鼓吹休明，下以轉移風俗」之實用價值觀；二為夏之芳灌輸給臺灣本土儒生之文學思想教育亦是如此；三為清代臺灣本土儒生之文學風格特色是「頗能各逞瑰異」。而推溯夏之芳文學思想之源頭，則是康熙、雍正與乾隆之「正文體」論文。

（四）張湄〈珊枝集序〉

張湄在乾隆六年（1741）四月，以巡臺御史兼提督學政身分宦臺，留任一年，主持歲、科兩試，當時距離清廷領臺已有 58 年。他對臺灣士子之詩文程度嘉許有加，把他們比喻作稀世之寶的珊瑚枝。他說：「《珊枝集》者何？集海東校士之文而名之也。珊枝者何？珊瑚之枝也。」又說：「臺灣者，萬川環流，一島中屹，與世殊絕；六十年來，沐浴聖教，暗汐躍乎光明。海邦人士，璘璘然、紛紛然質有其文矣。」

在集序中，張湄將臺灣本土儒生之詩文比喻為海中珍貴珊瑚枝。而他所

〔註19〕見同上，《重修福建臺灣府志·卷二十·藝文·序·巡臺御史夏之芳·海天玉尺編二集序》，頁 534。

以編輯《珊枝集》之原因，則是希望自己也能如夏之芳藉玉尺量善才一樣，網羅臺灣那些文采如珍貴珊瑚枝之士子。因此他又說：「雍正戊申，高郵夏筠莊侍御嘗取之矣；顏其文曰：『《海天玉尺》』。玉尺云者，蓋言善量才也。余踵其後，無能為役，顧亦奮力取之。雖不敢稱量才之尺，而竊自許為羅才之網。願獻其琛，以與海內共寶之。則斯集之成也，夫亦猶行筠莊之志也。於是乎書。」〔註20〕

在此集序中，張湄雖沒有明顯表達其對臺灣本土儒生之文學思想教導如何，但是吾人由他「則斯集之成也，夫亦猶行筠莊之志也。於是乎書。」可知他所勗勉於臺灣本土儒生者，亦與夏之芳相同。

（五）楊開鼎〈梯瀛集序〉

楊開鼎在乾隆十四年（1749）以巡臺御史兼提督學政身分宦臺，主持科試，當時距離清廷領臺已有 66 年。楊氏頗驚嘆於臺灣山水之雄偉壯闊，與夏之芳一樣，也認為臺灣士子詩文之不可羈勒之因，實緣於此。他說：「大哉斯瀛！文人才士之心思，當亦如是之汪洋恣肆，而不可以羈勒也乎！以故余視學斯土，歷試諸生文，其中有清者、濃者、奇者、正者、窅而深者、沛然決者，各成一家言，而不能以一律繩。想亦游心於瀛海瀛山之怪怪奇奇，相與探幽攬勝，一洩而為不可羈勒之文也？」楊氏可說對臺灣士子之詩文程度嘉許至極。

至於為何編輯《梯瀛集》，他在集序中說，乃是受夏之芳、張湄之影響：「曩者夏前輩筠莊名其所刊文曰〈海天玉尺〉，所以量瀛之材也；張前輩鷺洲，名其所刊文曰〈珊枝〉，所以羅瀛之珍也。余欲量瀛之材而無玉尺、欲羅瀛之珍而無珊網，然則何所持以與都人士勗乎？曰，以是集而為瀛之登也則未，以是集而為瀛之梯也則可。於是乎書。」〔註21〕與張湄一樣，楊開鼎在集序中，並沒有明顯表達其對臺灣本土儒生之文學思想教育如何；但是吾人由其以上之言，應該可以推知，楊開鼎編輯此集之因，也如夏之芳、張湄一樣，乃以「士先器識、而後文藝」、「上以鼓吹休明，下以轉移風俗」為其文學思想，而亦欲獲此之功。

〔註20〕見同上，《重修福建臺灣府志·卷二十·藝文·序·巡臺御史張湄·珊枝集序》，頁 535。
〔註21〕見謝金鑾：《續修臺灣縣志·卷六·藝文（一）·序·巡臺督學御史楊開鼎·梯瀛集序》，頁 453～454。

由以上陳璸、夏之芳、張湄、楊開鼎等四位提督學政之試牘序，吾人已知清代宦臺儒官，對臺灣本土士子之詩文程度不但充滿信心，而且讚美有加；而且也知道，清代宦臺儒官灌輸給臺灣本土士子之文學思想，為「士先器識、而後文藝」、「上以鼓吹休明，下以轉移風俗」。然而遺憾的是，以上五冊試牘筆者遍蒐臺灣各大圖書館均無所獲，不知是已遺失，或另珍藏於他處。也因此無法親眼見到當時陳璸、夏之芳、張湄、楊開鼎等人，所讚美有加的臺灣本土士子詩文真正面貌。

幸而筆者在閱讀徐宗幹資料時，發現徐宗幹亦編輯有一冊臺灣本土儒生之詩文集，雖然不是科舉考生之試牘，然性質相近，皆為儒生之詩文作品，是當時徐宗幹平日集合海東書院諸生講學，讓諸生書寫心得之作品，徐氏編輯之，並命其集名為《瀛洲校士錄》。

（六）徐宗幹〈東瀛試牘三集序〉

本論文第四章已述及，徐宗幹平日對海東書院在學儒生施以儒學教育，並編有《瀛洲校士錄》，以收錄當時海東書院在學儒生平時所創作之詩文，在序言中，他自言在編輯《瀛洲校士錄》之前，即曾經在主持歲科考之後，挑選優秀考生詩文加以編輯而有《東瀛試牘》一書。而筆者推測，應該是在《瀛洲校士錄》之後，他又陸續編輯《東瀛試牘》，並且至少完成三集，可惜筆者至今亦未能找到這些書。僅能由〈東瀛試牘三集序〉中，〔註22〕知道他編輯《東瀛試牘》之緣由。

徐宗幹在〈東瀛試牘三集序〉中說，當面對人們向他質問：「所謂學者，豈唯是締章琢句，絜短長，較工拙云爾哉？抑弋虛名耳。」時，他總是明確地回答：「由文而行，由藝而德，引以正鵠，則心不外求；範以馳驅，則才不泛騖。有以取之，無自棄也；有以榮之，無自辱也。誘掖以此，獎勸亦以此。」徐宗幹對那些質疑他教導學生學習雕章琢句有何益處的人說：不治末流何能溯源，不抓住末端何能尋根，因此希望能夠讓學生由文藝而進入德行，用正端引導他們，就能使他們心不外求；規範他們發揮的方向，就不會使他們才華奔逸散失；能夠有機會被選取，他們就不會放棄自己；能夠有機會獲得榮耀，他們就不會自取其辱。誘導扶持、獎勵勸勉都在於此。

〔註22〕見黃哲永，吳福助編：《全臺文（五）‧徐宗幹‧斯末信齋文編‧東瀛試牘三集序》，頁74。

由這一段序言吾人可清楚知道，徐宗幹認為品德重要，文藝也一樣重要，因為可以藉由文藝之學習，而讓學生進入品德之門。

二、由《百壽詩錄》看本土士子對宦臺儒官之敬仰

吾人由本論文第四章，已見到清代宦臺儒官，每每在任期屆滿離開臺灣前，作詩贈送給臺灣本土士子，其中包括地方仕紳、儒師或學校諸生，詩中話題多元，有對臺灣本土士子在他任職期間鼎力相助表示感謝者、有對臺灣本土士子熱情相送表示依依不捨者、有鼓勵勗勉臺灣本土士子者等等不一而足。而宦臺儒官對臺灣本土士子如此，臺灣本土士子對宦臺儒官之情感又是如何？依筆者披尋《全臺詩》資料，發現臺灣本土士子對宦臺儒官大致表示尊敬、感謝，甚或同情者。而他們平時之互動方式，吾人由臺灣本土士子之詩作中可以得知，他們與宦臺儒官或同宴遊、或送別、或吟詠唱和、或祝賀哀悼等等亦不一而足，頗顯現出他們與宦臺儒官間之友好情誼。而其中最有名者便是臺灣本土士子與曹謹間之互動關係。

曹謹，據連橫《臺灣通史・循吏列傳》所述，曹謹字懷樸，初名瑾，河南河內人。嘉慶十二年（1807）舉於鄉，以大挑知縣，抽籤分派至直隸，後又歷署平山、曲陽等縣。道光十七年（1837）春正月，知鳳山縣事。在鳳山縣任內最大事功，便是先後二次引下淡水溪之水灌溉平疇萬頃的鳳山縣農田，使得當時農民「收穀倍舊，民樂厥業，家多蓋藏，盜賊不生。」此即吾人所熟知之「曹公圳」。道光二十年（1840），陞淡水同知，當時「士民攀轅涕泣，祖餞者數千人」，既到淡水任，「慈祥惠民，興利除弊」。任內精練鄉勇力拒英艦，調停彰、泉二籍民之械鬥。

蒞治淡水五年間，興文教、崇實學。連橫說曹謹當時「朔望必詣明倫堂，宣講聖諭。刊《孝經》《小學》，付蒙塾習誦。公餘之暇，每引諸生課試，分獎花紅。淡水固有學海書院，工未竣，捐俸成之。增設鄉塾。淡之文風自是盛。」〔註23〕

曹謹在淡水同知任內所建立之事功，與他在鳳山縣知縣任內一樣，反映在士民對他之愛戴上，因此在他六十大壽時，當時淡水廳一帶之士子，包括

〔註23〕見連橫《臺灣通史・卷三十四・列傳六・循吏列傳》，臺灣文獻叢刊第二輯，頁 948～949。

臺籍，或內地寄居臺郡，或當時也是宦臺之儒官，大家共同聯合起來以詩祝賀他，集結成冊而有《百壽詩錄》之流傳。

　　而就今日吾人所能見到之臺北壁角生抄本的《百壽詩錄》來說，〔註24〕便收錄有包括黃敬在內之61位士子的將近130首祝賀詩，詩中內容幾乎都是就曹謹之學養、品德、在臺事功等方面作發揮，表達對曹謹六十大壽恭賀之意。而最特別的是，這些士子各自使用包括五言截句（按：截句為絕句之另一稱呼）、七言截句、五言律詩、七言律詩、五言排律、七言排律、五言古詩、長短歌、倣古樂府、柏梁古體，又有頌詩、四言詩、六言詩、兩韻詩、集句詩等不同詩體作書寫。十足展現出當時士子優異之藝文能力。〔註25〕

　　由上述《臺灣通史》之〈曹謹列傳〉，以及臺北壁角生抄本的《百壽詩錄》，吾人由一知十，可以想像當時臺灣本土士子與宦臺儒官間之良好互動矣。

　　筆者為述明當時參與作詩祝壽的士子科名背景，特製下面簡表示之（依《全臺詩》所列順序，排列乃由左至右，由上至下）：

簡表二十：《百壽詩錄》中之臺灣本土士子科名背景

姓名與出身	姓名與出身	姓名與出身	姓名與出身	姓名與出身
黃敬（歲貢生）	陳玉珂（舉人）	林春和（貢生）	鄭廷理（恩貢生）	王國良（不詳）
林宗衡（歲貢生）	林炳旂（恩貢生）	黃文彬（監生）	張日賓（不詳）	林銘勳（生員）
游觀瀾（不詳）	黃啓（生員）	鄭祥和（歲貢生）	辛仰高（不詳）	李文光（生員）
王敏中（不詳）	王溫其（不詳）	高國泰（不詳）	方玉斌（貢生）	王宗河（監生）
陳詞裕（監生）	黃長春（不詳）	陳國琛（不詳）	黃秉衡（不詳）	李呈輝（不詳）
李春波（舉人）	吳階青（不詳）	陳為（童生）	黃政（童生）	周承敬（不詳）
張日新（童生）	李春澄（不詳）	黃枚（不詳）	林挺華（不詳）	陳克昌（不詳）
吳得彰（不詳）	林邦彥（不詳）	黃清風（不詳）	劉崧（童生）	黃畝（不詳）
黃宗嶽（不詳）	李薪傳（不詳）	辛鳳耆（不詳）	張國才（童生）	黃璋（童生）
陳登岸（廩生）	陳濟川（生員）	林兆龍（不詳）	張達邦（不詳）	林揚聲（不詳）
魏瑩（不詳）	林際華（不詳）	林廷鯤（不詳）	林玉文（不詳）	蔡來章（不詳）
黃南金（不詳）	簡濟川（不詳）	陳對廷（不詳）	游際清（不詳）	戴祥雲（不詳）
蘇衰榮（舉人）				

〔註24〕據黃敬自註〈曹仁憲榮壽〉一詩，說：「道光乙巳秋作」，按：「道光乙巳」為
　　　　道光二十五年（1845）。
〔註25〕見《全臺詩》第肆冊，頁113，及頁141～206。

　　以上這些士子，除了出身不詳者外，他們的出身由最初階之童生，到生員（即一般人所稱之秀才、諸生、博士弟子員）、監生，再到舉人，又到貢生等等，儼然已成爲一個士子團體。而這些士子，吾人由現存之資料來看，除了不詳者外，他們在當時，或爲儒師，或作官，或從事詩文創作，或熱心參與社會工作。

　　爲儒師者。譬如黃敬，後獲授福建福清縣教諭，因母年邁未就，設帳關渡（見《全臺詩》第肆冊，頁 112）；鄭廷理，福建閩清人，署淡水廳儒學訓導（同前，見頁 143）；陳登岸署福寧府學訓導（同前，見頁 189）；戴祥雲，曾官侯官訓導，著《十番風雨錄》，今不傳（同前，見頁 205）。任官者。譬如王宗河，樂善好施，後以國學生獎加知州銜（同前，見頁 162）；蘇袞榮，候選內閣中書（同前，見頁 206）。從事詩文創作者。譬如林春和，經史文詞皆有時名，著有《含青館集》，已佚（同前，見頁 142）；熱心參與社會工作者。譬如陳玉珂，曾與臺郡拔貢生李宗寅、生員陳肇昌、陳廷瑜等人上呈〈義塚護衛示禁碑記〉，建議保護臺郡南北義塚（同前，見頁 141）；林炳旂，曹謹曾委以要務（同前，見頁 146）；方玉斌，曾捐洋圓共立義渡碑，爲地方重要士紳（同前，見頁 161）；陳詞裕，捐款立義渡碑及建新竹義塚（同前，見頁 163）

　　筆者又爲讓吾人更明白臺灣本土士子對宦臺儒官之情感友誼，進一步以既是臺灣本土士子出身，又是教師身分的黃敬之〈曹仁憲榮壽〉一詩作爲代表，並將此詩依其內容順序排列，分成五部分以見之：

　　　　名區自昔人文藪，樂天雅量會耆耉。
　　　　蒼顏黃髮古衣冠，誰作畫圖傳不朽。
　　　　至今景仰洛陽風，猶說香山有九叟。
　　　　惟我夫子間世生，堪與前賢相匹耦。
　　　　聰明賦質不尋常，大地鍾靈想獨厚。
　　　　況乎聚石爲書倉，家學相傳淵源有。
　　　　一日能誦千萬言，奇才何啻誇八斗。
　　　　英年經笥腹便便，小儒望之皆卻走。
　　　　心花煥發筆花開，高舉凌雲攀桂手。
　　　　占作蟾宮第一人，回頭同輩在其後。
　　　　旋膺考選獲銅章，出宰閩中著績久。

此首爲七言六十句古詩。以上第一部分黃敬就曹謹之家世出身作一番敘述，

黃敬說曹謹家學淵源，自少即聰穎過人，「一日能誦千萬言，奇才何啻誇八斗」，科舉中試後，數遷而「出宰閩中著績久」，出任閩中政績卓著。

··

> 三山轉渡鳳山來，沙馬磯頭煩保守。
> 因民所利而利之，引水灌田清且瀏。
> 甘棠德澤溥無疆，遺愛依然眾人母。
> 臥轍攀轅挽白駒，婦孺歡呼碑載口。
> 惟餘兩袖拂清風，一鶴一琴隨左右。

以上第二部分黃敬就曹謹在鳳山縣之事功作一番敘述，黃敬說曹謹在鳳山縣「因民所利而利之，引水灌溉清且瀏。甘棠德澤溥無疆，遺愛依然眾人母。」引水灌溉農田，而惠愛無數百姓。

> 忽報鹿車入淡疆，塹南塹北皆翹首。
> 爭如苦旱望雲霓，願撤幨帷覘組綬。
> 下輿即便勸農桑，有腳陽春行隴畝。
> 於時壽考詠作人，芃芃棫樸薪與槱。
> 重修文甲首捐金，示期開課偕進取。
> 亦為官長亦為師，言坊行表毫不苟。
> 條衣白鹿洞中規，孝經小學循循誘。
> 有德有造同玉成，大鳴小鳴各鐘叩。

以上第三部分黃敬就曹謹出任淡水廳作一番敘述，黃敬說曹謹調陞淡水廳同知，淡水廳人士聞之「爭如苦旱望雲霓，願撤幨帷覘組綬」，莫不歡欣鼓舞，翹首等待；而在任時，則勸農耕桑，振興教育，「亦為官長亦為師，言坊行表毫不苟。條衣白鹿洞中規，孝經小學循循誘。」對教育之推展可謂不遺餘力。

> 惠雨並同化雨施，吾儕如飲醇醪酒。
> 耳濡目染屢沾恩，此意未能報瓊玖。

以上第四部分，黃敬以臺灣本土士子兼儒師身分，表示對曹謹之感謝，而說「惠雨並同化雨施，吾儕如飲醇醪酒。耳濡目染屢沾恩，此意未能報瓊玖。」屢蒙嘉惠，厚恩難報。

> 私心正擬頌三多，恰逢華誕詢非偶。
> 南星北斗一齊明，大年原由大德受。
> 應知海屋已添籌，屈指春秋五十九。

天愛斯文一老遺，瓣香爲祝岡陵壽。——（見《全臺詩》第肆冊，頁 113～114）
以上第五部分，也是最後一部分。黃敬祝賀曹謹六十大壽，他說「私心正擬
頌三多，恰逢華誕詢非偶」，心裡正想著要爲文頌揚曹公功績，而適逢曹公壽
誕，實非偶然。又說：「天愛斯文一老遺，瓣香爲祝岡陵壽」。上天疼惜斯文
在曹公身上，拈上一炷香，祝他如岡如陵高壽。

　　吾人由此五部分看黃敬對曹謹之情感友誼，與其說是朋友，不如說是長
輩、長官、師長。又由一以知十，吾人可以想像，此次與黃敬一起祝賀曹謹
壽誕者，他們心中所思所想也一定如黃敬一樣。

　　而也因爲臺灣本土士子，通常對宦臺儒官之表現存有敬仰之意，因此，
在清代臺灣本土士子之詩文中，除了《百壽詩錄》之本土士子外，其他又有
許多人也都有此類作品；尤其是詩作，篇幅較短小精緻，便於短時間即席創
作，所以在數量上尤比文章還多。譬如清代臺灣著名士紳林占梅，便有多首
與提督學政徐宗幹、吳大廷之間往來之詩作。林占梅生於道光元年（1821），
卒於同治七年（1868）。從他今存之詩作中，吾人可看到他給徐宗幹之詩計有
〈呈臺澎道徐樹人廉訪宗幹四首〉、〈送徐樹人師內渡二首〉、〈奉答樹人師復用送
別二首〉、聞徐大宗丞樹人師訃音集諸同人爲位哭奠餘痛縈懷賦成哀輓三章〉等
九首。至於給吳大廷之詩則有〈致新到任臺灣道吳桐雲大廷觀察二首〉。在以上
十一首詩中，林占梅大約都與前述之黃敬一樣，都以宦臺儒官之學養、品德
與在臺事功作敘述主題；林占梅在其詩中，對徐宗幹與吳大廷表示了他自己
最大的尊敬與感謝之意。

三、由《瀛洲校士錄》看本土士子之「明道」文學表現

　　徐宗幹於道光二十八年（1848），授福建臺灣道兼提督學政，咸豐四年
（1854）陞任福建按察使，此時距離清廷領臺已有 165 年。他在《瀛洲校士
錄》序文中，自敘編輯此錄之緣起，乃是爲接續夏之芳、張湄二氏之志而來。
他說：「昔高郵夏筠莊侍御巡臺主試，刊《海天玉尺》二編，序云：『爲海隅
人士作其氣，而道之先路也』；錢塘張鷺洲侍御亦選有《珊枝集》，嘗曰：『今
不取，吾懼其失時也』。茲編亦猶行前人之志云爾。《玉尺》編始於雍正戊申
歲試，越今戊申適百二十年，並誌之。」〔註26〕

〔註26〕見黃哲永，吳福助編：《全臺文（五）‧斯未信齋文編‧瀛洲校士錄序》，頁 58。

又在序文中進一步說：「就文藝而成德行，則上爲國家儲黼黻之才，下爲海邦廣絃誦之教，將見靈秀煥發、瑰奇挺生、鳳起蛟騰、日華雲爛，必大有人焉傑出於瀛洲、壺嶠間乎。」徐宗幹與他在〈東瀛試牘三集序〉中所言一樣，認爲諸生苟能藉由文藝學習而進入德行之門，便可以於上爲國家人才，於下爲社會轉移風俗。

由此序言，吾人看到徐宗幹不僅繼承夏之芳、張湄「士先器識、而後文藝」、「上以鼓吹休明，下以轉移風俗」之實用文學觀，而且也重視文學藝術技巧之琢磨。而吾人若取此文學觀，驗之於《瀛洲校士錄》中諸生之詩文作品，會發現臺灣本土士子在學校爲諸生時，其詩文便果眞已有明顯儒化現象，他們模仿儒家古聖賢口氣爲文，辭藻端美、文以載道。

今國立中央圖書館臺灣分館所典藏之《瀛洲校士錄》二卷，爲咸豐元年（1851）辛亥夏天鐫刻，海東書院藏板，每頁都署有「海東精舍」字樣，第一頁目錄則蓋有正方形「守屋善兵衛氏在臺記念寄附」十二字戳印，全書爲吳敦禮所校對。二卷爲卷上與卷下。卷上共計有二十七篇文，卷下共計有九十二篇賦與詩，其中賦十五篇、詩七十七首。總計二卷共有一百十九篇作品，入選諸生總計有三十四人。今茲列簡表如下。

簡表二十一：《瀛洲校士錄》所收錄之海東書院在學儒生詩文

生員姓名	文（篇數）	賦（篇數）	詩（篇數）	總　計	備　　　註
1.毛式釗	0	1	2	3	
2.白廷璜	1	0	2	3	
3.石嗣莊	0	0	5	5	
4.呂陽泰	0	0	1	1	
5.李喬	0	0	2	2	
6.吳伯熙	1	0	0	1	
7.吳邦淵	0	0	1	1	
8.吳敦仁	8	3	8	19	〈滕侯薛侯來朝〉一文，目錄毀損，只存姓，依內頁補正之；又〈播五行於四時〉一文亦然。
9.吳敦常	0	0	4	4	
10.吳敦禮	4	1	1	6	
11.施士升	0	0	2	2	

12.韋國琛	3	0	6	9	〈六月莎雞振羽〉一文，目錄毀損，只存姓，依內頁補正之；又〈十月穫稻〉、〈多城防〉二文亦然。
13.韋國模	0	0	2	2	
14.黃用章	2	0	0	2	〈八月載績〉一文，目錄毀損，只存姓，依內頁補正之。
15.黃希先	1	2	1	4	
16.黃聯璧	0	0	1	1	
17.許式金	0	1	1	2	
18.許廷崙	1	2	9	12	
19.許廷璧	0	0	4	4	
20.許建勳	0	0	3	3	
21.許青麟	1	1	7	9	
22.陳奎	0	1	3	4	
23.陳大觀	0	0	2	2	
24.陳朝新	0	0	1	1	
25.郭夢松	0	1	0	1	
26.張朝清	0	0	2	2	
27.蔡傳心	0	0	1	1	
28.楊克修	1	0	0	1	
29.鄭日章	0	0	1	1	
30.鄭奉天	0	0	1	1	
31.潘乾策	2	1	2	5	
32.劉宣	2	0	0	2	
33.鄧延禧	0	1	0	1	
34.蘇寶書	0	0	2	2	

依表中顯示，知道其中吳敦仁、吳敦禮、黃希先、許廷崙、許青麟、潘乾策等六人，作品橫跨文、賦與詩三種文類；作品數量最多前五名生員，依序是吳敦仁（十九篇）、許廷崙（十二篇）、韋國琛（九篇）、許青麟（九篇）、吳敦禮（六篇）。至於內容，吾人可明顯由其中篇章，看到臺灣本土士子之儒化情形。

　　在文的部分，譬如〈厥包橘柚錫貢〉、〈錫土姓〉、〈八月載績〉、〈六月莎雞振羽〉、〈十月穫稻〉、〈滕侯薛侯來朝隱公十有一年〉、〈多城防襄公十有三年〉、〈播五行於四時〉、〈春官釋奠於其先師〉、〈鼎俎奇而籩豆偶〉、〈皮弁祭菜〉、〈簋貳解〉、〈升卦全爻解〉、〈鼎卦全爻解〉、〈六宗解〉、〈閟宮解〉（有二篇）、〈延廐解〉、〈春秋書大雩解〉、〈邱甲田賦作軍舍軍解〉等諸篇，諸生擷取儒學經典如《春秋》、《周禮》、《詩經》、《易經》等的某一內容而議論之；又譬如〈從祀先儒策〉，爲生員吳伯熙所作，文中歷敘漢興以後以迄於有清，各朝代以諸賢哲──顏子、左丘明、卜子夏、曾子等配享文廟之情形；又譬如〈敬摹聖像立石臺郡學宮記〉，爲生員許廷崙所作，乃敘述徐宗幹宦臺時，攜聖像拓本蒞臺，囑咐生員石耀祖，航海購石，敬謹重模，完成後，於咸豐紀元仲春上丁前一日，集合諸生「執儀仗樂器，扶舁綵輿，敬奉于崇聖祠之東偏。公率官師及諸生展拜，禮成而退。」的整個過程，文章重點放在對孔子學說事功之頌揚。

　　在賦的部分，譬如《忠信爲甲冑賦》、《禮義爲干櫓賦》二賦，便是取儒家重忠信禮義，次干戈甲兵之精神而發抒。而在詩的部分，筆者試舉石嗣莊〈賦得廣學開書院得開字五言八韻〉、陳朝新〈賦得取人以身得賢字五言八韻〉，以及許青麟〈敬摹亞聖像立石臺郡學宮詩以紀之〉三詩，以見當時徐宗幹教導諸生作詩，而諸生亦努力模擬聖賢口氣作文之狀。

　　先說石嗣莊〈賦得廣學開書院得開字五言八韻〉：

　　　至治昌明日，文章耀上台。學因施教廣，院以育賢開。

　　　采藻鷺旗振，談經馬帳推。衣冠登俎豆，德行筮雲雷。

　　　講席春風坐，黌宮夏屋陪。倫明三代共，道盡百年該。

　　　比戶歸絃誦，登門起草萊。──（見央圖臺分館藏本《瀛洲校士錄》，頁42）

此詩爲五言十四句排律，爲試帖詩，乃科舉考試所規定之詩體。兩兩相對，對句極爲工整，模擬古代聖賢口氣。詩中闡發廣開書院，對學術發展之重要性。第三、四句說，學術因施教而能推廣，書院乃爲培育賢才開設；第五句至第八句，石嗣莊反映了徐宗幹「就文藝而成德行」之教育方針，而說在書院中，學生學習用雕琢的詞藻表現詩歌，教師上課用儒家經典作爲教材；學生學成後將才能上報國家，美德流布四方；第九、十句，敘說師生在書院上課情形；第十一、十二句敘說經書之內容，上及夏商周，下該百代；第十三、十四句，再次反映徐宗幹「就文藝而成德行」之教育方針，而說，學生須端

正士習，以轉移社會風氣。

　　此詩之詩意頗佳，用字淺顯，雖有堆疊反覆之嫌，卻十足貼近徐宗幹之文學觀。又譬如陳朝新〈賦得取人以身得賢字五言八韻〉一詩：

　　　　門將開籲俊，館更闢招賢。莫漫求人切，須從正己先。

　　　　無雙才自裕，惟一學宜專。玉尺何由準，金繩本不偏。

　　　　望風欽九德，指日定三銓。樂育菁莪什，威儀萊竹篇。

　　　　分官遲命巽，立政早乘乾。——（見央圖臺分館藏本《瀛洲校士錄》，頁42～43）

此詩爲五言十四句長律，亦是試帖詩。詩中也是兩兩相對，對句極爲工整。又與上首一樣，也是模擬古代聖賢口氣。此詩以取人須先正己爲全篇宗旨，並由此作發揮，第三、四句說，只有不慕名與利才能裕己，學習只有一個要訣就是專一；欽仰皋陶的「寬而慄、柔而立、願而恭、亂而敬、擾而毅、直而溫、簡而廉、剛而塞、強而義」九種品德，將來一定可成爲國家棟樑；以《詩經》之〈菁莪之什〉、〈萊竹〉自我怡養性情、訓練威儀；遲早能受徵召作官，貢獻國家。

　　此詩多處用典，詩意明確，用字亦頗深，也和上首詩一樣，十足貼近徐宗幹之文學觀，與徐宗幹之文學思想相合。而由以上之二詩，吾人確信徐宗幹之實用文學觀，已對當時海東書院之儒生產生相當大影響。又譬如許青麟〈敬摹亞聖像立石臺郡學宮詩以紀之〉一詩：

　　　　巍巍聖德，孰與比隆。知言有素，浩氣常充。

　　　　戰國邪說，莫知所終。闢之距之，不愧禹功。

　　　　乃審厥像，勒石鳩工。尊爲聖配，奉諸學宮。

　　　　其容作肅，惟貌則恭。蓬瀛瞻仰，多士尊崇。

　　　　而今而後，吾道已東。——（見央圖臺分館藏本《瀛洲校士錄》，頁60）

此詩爲五言十八句長律。前述，徐宗幹宦臺時，攜聖像拓本蒞臺，囑咐生員石耀祖，航海購石，敬謹重模，完成後，於咸豐紀元仲春上丁前一日，集合諸生敬奉于崇聖祠之東偏，當時有生員許廷崙作〈敬摹聖像立石臺郡學宮記〉一文敘述整個過程。而此處，吾人另外又看到生員許青麟，他則用詩作方式也記錄此事。此詩重點集中在對孟子學說事功之敘述，強調孟子一生善養浩然之氣、力闢邪說，其功績可比大禹，故亦勒石鳩工，尊爲至聖孔子之配祀，奉之於學宮，共受多士瞻慕尊崇，「而今而後，吾道已東」，象徵從今以後儒學之道已東傳臺灣。

此詩之詩意頗明晰，而用字淺顯易懂，善掌握孟子學說精要處，以突顯其學說事功，可見對孟子及《孟子》皆有深刻認識。而由此詩亦讓吾人進一步知道，當時清代臺灣儒生對孔孟儒學之認識與尊崇程度，而其中作為傳承媒介者則是宦臺儒官。

四、由〈課選序〉看本土儒師對儒家文學觀之延續

由陳璸、夏之芳、張湄、楊開鼎、徐宗幹等五位宦臺提督學政之試牘與校士錄序文，吾人知道清代臺灣本土士子，至少由夏之芳於雍正六年（1728）宦臺開始，到徐宗幹於咸豐四年（1854）離臺為止。在長達 126 年之時間裡，他們在學校所接受者，除了儒學教育外；在文學思想上，亦長期被灌輸為以品德為重，以及上能報效國家、下可轉移社會風俗之實用價值觀。

而這種長期灌輸，除了對尚在就學中之臺灣本土儒生果真產生影響，創作出如《瀛洲校士錄》中之明道詩文外，究竟對已完成學業離開學校之一般士子，是否持續保有其影響力，吾人則可在既是臺灣本土士子，又有儒師身分之施士洁身上找到答案。施士洁，今臺南市人。光緒二年（1876）中舉，光緒三年（1877）成進士，點內閣中書。性放誕，不喜仕進。自歸里後至乙未（1895）日本割臺以前，長期擔任教職，先後掌教於彰化白沙書院，以及臺南崇文書院、海東書院，對後進多所裁成。

在施士洁《後蘇龕文稿》中有一篇〈臺澎海東書院課選序〉〔註27〕，序文中，施士洁先歷敘海東書院創建沿革，接著提到也曾經在海東書院講過學的徐宗幹，他說：「道、咸間，崇川徐清惠公以巡道兼督學，雅意振興，如期按課論文外，有背誦經書之課；復加小課，以賦詩雜作相與切磋，風會既開，於是乎有課藝之刻。」又提到徐宗幹與其父施瓊芳為莫逆知交。筆者按：施士洁此處所說之徐清惠公，即徐宗幹；所說之有課藝之刻，即《瀛洲校士錄》。

又接著，他在序文中一再提到為文之道，而說：「竊惟文以載道，必學養兼到，然後能隨題抒寫，汨汨其來，自綱常名教，以及一名一物，細微曲折，萬有畢備。此正留心理義之學者，一題到手，自然融會，遂因之而罾其旨焉。」這裡，施士洁提到一個為文之重要關鍵——「學養兼到」，他認為，那些留心

〔註27〕見《全臺文》（九），臺中市：文听閣圖書，2007 年（民96），頁 129～132。

理義之學的學者，爲何能使文章文以載道，是因爲他們都具備有豐富的學術涵養，以及端正之品德修養。

又說：「由此觀之，學者作文，苟能從經文傳注涵泳而出，而又一一體驗於身心，精實之作，自然不可磨滅。「舉業」二字既認得眞，以爲拜獻之先資可也，以爲經傳之羽翼亦可也。」施士洁又認爲，學者作文，希望藉此名垂千古，必須先涵泳經文傳注，將之一一用身心體驗；至於舉業之事，認眞說來，可以把它當作是作官的「敲門甎」，也可以說是經傳之詮釋。並且，他也反對大家把制藝、試帖當作是「腐臭不堪之物」，而相與菲薄姍笑；反而認爲這是「末流之失」，「豈國家取士之意本然」。

綜合以上所言，吾人可勾勒出施士洁的文學思想，他認同載道之說，肯定「學養兼到」對文章之幫助；認爲作文要從涵泳經文傳注開始；不反對制藝文、試帖詩等八股墨卷。

又由施氏之文學思想追溯，吾人不難看到夏之芳、張湄、楊開鼎、徐宗幹等人在他身上所產生之影響。而當他亦成爲人師後，他回應夏之芳等人之方法，便是效法他們編輯詩文選，他在〈臺澎海東書院課選序〉中說：「臺無課選久矣。自高郵夏筠莊、錢唐張鷺洲兩侍御，有「玉尺」、「珊枝」等編，然皆校士之作。惟清惠公院課一集，四十餘年，無有踵而行之者；今方伯唐公、廉訪顧公、郡伯前護道唐公囑檢近年課藝，重爲評定，付之手民，猶清惠公意也。」吾人若以施士洁乙未（1895）離臺作爲一個時間點上溯之，那麼他距離夏之芳宦臺有 167 年、距離張湄宦臺有 154 年、距離徐宗幹宦臺有 47 年，前面三位爲宦臺儒官，後面的施士洁是臺灣本土士子，他們四位之傳承由夏之芳到張湄，再到徐宗幹，再到施士洁，其間依循之軌跡昭然可見。

而吾人不難想像，施士洁在離臺之前，將近有二十年時間，先後掌教於彰化白沙書院，以及臺南崇文書院、海東書院。他以如上述之儒學化文學思想，繼續傳授給臺灣本土士子，這中間所產生之影響絕非小可。

第四節　清代宦臺儒官之儒學詩藝術表現析論

筆者在本論文第二章已述及，《學政全書‧書院‧現行條例》第三條，有記錄清代書院學生之品格培養與課程學習，條文中說：「書院講業，以檢束身

心、敦品勵學爲本。月課以制義、經學、史學、治術諸書，以及論、策、表、判、對偶聲律之學，切實講求，量才指授。」〔註28〕

學生在學校中被用以上科目訓練，在參加科舉考試時，則被進一步要求，在文字書寫方面要雅正、清華、切實、清晰，吾人見《欽定大清會典》說：「殿試，御製策問令貢士條對，經書文取雅正，詩取清華，策對取切實敷陳，浮文妨要，及詭異雷同者皆不錄。」〔註29〕又說：「廷試書藝一、詩一；歲貢試書藝經、藝詩各一。凡釐正文體、制義、代聖賢語言，理解務取清晰，格律必歸雅正，有尙詭異、矜浮華者黜之。」〔註30〕便可知矣。

由以上條文，吾人知道當時書院學生在月課時，除了其他者外，在文學方面，制義與對偶聲律之學，是他們必須學習之課程。而且在科舉考試時，文字書寫都要遵循朝廷所訂之釐正文體標準，否則黜落不錄。

而彭國棟在《廣臺灣詩乘》中也說：「清代任學官者，例經考試，故多明經博雅之儒，其來臺者亦多能詩之士。」〔註31〕原來，當時要擔任學官，與現在臺灣的中小學教師一樣，除了必須具備學歷外，還要通過教師甄試，因此各個都是菁英中的菁英，而其中被調派來臺灣的，又不乏善於作詩者。

一、宦臺儒官之詩文理論

吾人由今日尙存的宦臺儒官詩作中，猶能見到他們針對詩文本身理論看法者並不多，以下筆者試以《全臺詩》爲資料來源，舉徐宗幹和林豪爲例，以見他們對詩文之美學觀點。

先說徐宗幹。徐宗幹爲道光二十八年（1848）宦臺之提督學政，本論文有關徐宗幹之敘述，請詳見第四章及本章。至於他的詩文理論，筆者試述之如下。

〈文以意爲車〉：

　　意匠經營出，成詞始不虛。能將文作馬，若以德爲車。

　　載道薪傳後，凝思蕊結餘。遣驅皆典籍，工巧即輪輿。

〔註28〕見同上，頁 128。

〔註29〕見《欽定四庫全書史部‧大清會典‧卷三十一‧禮部‧儀制清吏司‧貢舉》，台北：臺灣商務印書館，1983 年（民 72），頁 619～246。

〔註30〕見同上，《卷三十二‧禮部‧儀制清吏司‧學校》，頁 619～253。

〔註31〕見彭國棟：《廣臺灣詩乘》，臺灣先賢詩文集彙刊，第二輯 2，臺北：龍文出版社，2009 年（民 98），頁 59。

鉅製宜行遠，陳言務剪除。謀篇看合轍，問友造穹廬。

藝苑爭傾蓋，詩衢好曳裾。雄師能左右，拔幟擅奇譽。

　　——見（《全臺詩》第肆冊，頁 257）

此首爲五言十六句長律。徐宗幹對詩文之藝術美學觀點，其實在前述他的〈東瀛試牘三集序〉中已說得極爲清楚，他認爲讓學生學習藝文，是帶領學生進入品德修養之開端，由此，學生可以心不外求、才不泛騖、無自棄、無自辱。而在此詩中，徐宗幹亦是本著〈東瀛試牘三集序〉中重視藝文之思想，全詩以「馬」作比喻，他認爲詩文必須先經過匠心獨運之巧構經營過程，呈現出來之文詞才可以不虛浮空泛；最好之詩文是能承載聖賢之道，而且有精心凝思之文辭。而要如何做才能得致此功，徐宗幹說，能廣博閱讀古代典籍，以古代典籍作驅遣，那麼工巧之思就能如車輪之運轉無礙。長篇鉅製要視界開闊，務必剪除陳腔濫調；謀篇要合乎法度，務必向朋友多學請益，如此才能在詩文界藝壓羣倫、暢行無阻，拔得頭籌有最好名聲。

　　上述〈文以意爲車〉一詩，徐宗幹以綜論方式，敘述他的詩文理念以教導學生，而以下二首則用專論方式，教導學生鋪采摛文以及運用文筆之事。先說〈摛藻艷春華〉：

摛毫驚絕艷，春色寫河陽。掞藻芝蘭室，飛華翰墨場。

開函箋染彩，落筆字含香。意蕊舒瓊管，詞條織錦囊。

摘來貽屈宋，夢裏詠池塘。猶記花盈縣，才名合擅長。

　　——見（《全臺詩》第肆冊，頁 256）

此首爲五言十二句長律。在此詩中，徐宗幹極力推崇鋪采摛文之事。他說，要以「驚絕艷」之文筆寫春天江河景色；用「芝蘭室」之詞藻在文壇縱橫揮毫。要讓人一開卷即看到滿箋華彩，要讓自己一下筆即字字含香；要讓自己內心之情志在翰管下順暢表達，要讓自己富麗辭采如錦繡織成之繡囊；可以拿來持贈屈原、宋玉，可以用來詠池塘生春草之詩。由此詩，吾人看到徐宗幹重視藝文，講究詩文修辭之一斑。再說〈壯筆過飛泉〉：

源導流三峽，瀾迴障百川。會須探筆海，始信湧文泉。

鋒銳開山劍，神馳下水船。有源非醴出，不竭等河懸。

揮灑風初埽，鑽研石亦穿。珠璣偏湧地，波浪直摩天。

汲古臨寒井，澄懷對靜淵。贈詩縈舊雨，溪畔浣花箋。

　　——見（《全臺詩》第肆冊，頁 258）

此首爲五言十六句長律。在此詩中，徐宗幹著重在文筆根源之探討。徐宗幹認爲要下筆鋒利如開山之劍，馳騁如順水之舟，就必須先探究文筆之源頭。他以長江三峽作比喻，長江之水因爲有三峽爲其源頭，因此能源源不絕、波瀾壯觀。相同地，要文筆順暢無礙，便須汲取古籍精華，澄靜心思意念；而能夠如此，便可以寫作詩歌贈與好友，在溪畔吟詠美景。

　　由以上三詩，吾人發現徐宗幹之詩文理論，明顯是從雍正、乾隆之「正文體」觀念而來，而進一步更重視詩文之修辭藝術。因此雖然他在當時，並沒有如前述宦臺儒官一樣，立下學規，學規中明定對正文體之要求；但其實他在實際督導海東書院諸生時，已將他文道並重之「文以明道」文學觀，灌輸給學生，並且實際演練，而有〈東瀛試牘集〉，以及〈瀛洲校士錄〉實際成果之呈現。

　　再說林豪。林豪在同治七年（1868）任澎湖文石書院主講。他雖然不是清廷所派任之學官，但是澎湖沒有廳儒學，因此文石書院在當時爲澎湖唯一教育莘莘學子之處，地位顯得格外重要。林豪有〈與諸生蔡汝璧黃卿雲論文〉十首，詩題雖是論文，然而觀其內容，則將詩文合爲一體而論之，以下茲取前三首，以見其詩文理論。〈與諸生蔡汝璧黃卿雲論文〉十首之一：

　　　提筆先將俗見除，時時心與古人居。
　　　目中早結千秋想，腕底還空萬卷書。
　　　揚氏蟲雕憐瑣屑，義山獺祭快芟鋤。
　　　何嘗有意爲文字，紙上汪洋自有餘。——見《全臺詩》第玖冊，頁 365）

此首爲七言律詩。在詩中林豪告訴蔡、黃二生，提筆爲詩文要去除俗見，時時心存古人；心中與千秋萬古相接，腕下要將萬卷書消融於詩句中；芟鋤瑣屑獺祭之弊；不刻意爲文，即能使文筆汪洋恣肆、遊刃有餘。以下十首之二：

　　　體製由來判古今，四詩六義豈相侵。
　　　春華秋實原殊派，流水高山各賞音。
　　　但遇秦王堪擊缶，未逢鍾子莫彈琴。
　　　色絲五采須分辨，好把鴛鴦度繡針。——見《全臺詩》第玖冊，頁 365）

此首爲七言律詩。在詩中林豪告訴蔡、黃二生，詩歌自來有古今體製之分，雖然派別不同，但是各有愛好者，幸能遇知音者而欣賞之；更需分辨五色華采，鋪采摛文以編織富麗之詩文。以下十首之三：

驪珠頷下覓來勞，千里相懸在一毫。

但使觀書心似鏡，何難導窾筆如刀。

畫龍墨妙睛須點，審鵠神空目豈逃。

安得麻姑借長爪，免教癢處隔靴搔。——見《全臺詩》第玖冊，頁365）

此首為七言律詩。在詩中林豪告訴蔡、黃二生，作詩時詩歌中之精句眼字，尋來極費工夫，必須平時在讀書時即心如明鏡，下功夫去心領神會，以免作出來之詩文如隔靴搔癢。

雖因限於篇幅只舉三首，但是由此三詩，吾人已可見四件事實：一為吾人見到林豪教導蔡、黃二生之細心，舉凡詩體之辨、觀書之心、作詩之法、修辭之要，莫不一一為學生講述。二為由此吾人發現林豪之詩學理論，也一樣不脫清廷所提倡之「正文體」觀念，因為他要蔡、黃二生寫作詩文時，要「時時心與古人居」，言下之意，要他們都以古人之心為心，讓詩文既有華采，也有「明道」之意涵。三為可見當時清廷「正文體」論文，對當時士子影響之深且遠。四為臺灣本土士子在宦臺儒官教導下，其心中亦建立起「明道」為文學正體之觀念，是可預料之事。

二、宦臺儒官儒學詩之修辭藝術

在本論文之本章第二節中，筆者已述及清領時期的宦臺儒官，他們在調任臺灣期間，有時會為教導諸生方便起見而自訂學規，而在學規中有時會有論及關於文學之事者，這些文學條規明顯呈現儒家思想。

而在這些文學條規中，有的更直接針對詩歌這個文類作規定，譬如覺羅四明在〈勘定海東書院學規・第七條崇詩學〉中說：「詩以理性情，學者所宜習。……諸生倘欲習之有素，宜取唐人試帖，如國秀集、中興閒氣集、近光集，近代試帖如玉堂集、和聲集、依永集等書，朝夕諷詠，心和手柔，自足以鼓吹休明，而無鄙野之譏矣。」楊桂森在〈白沙書院學規〉中說：「各類詩體須分別取法」、又說：「試帖之詩須有所取法」；林豪在〈續擬學約八條〉中說：「試帖不可無法」；陳文緯在〈手訂塾規〉中說：「詩以溫柔敦和為則」。〔註32〕

吾人綜合以上覺羅四明、楊桂森、林豪、陳文緯等四人的詩歌理論，

〔註32〕此段所引皆已見於本論文之本章第二節中。

會發現他們並不是把詩歌拿來作為發洩豪邁情懷，或是呢喃兒女囈語的工具，而是具儒家教化意義的「理性情」，因此要以「溫柔敦和」為原則。而宦臺儒官之所以會對詩歌有這樣的規定，其實是由清廷的官方文學政策而來，譬如康熙在《聖祖仁皇帝庭訓格言》第八則說：「教書惟以經書為要，至於詩文則在所後。」又在同書第 71 則說：「夫唫詩作賦雖文人之事，然熟讀經史，自然次第能之。」〔註 33〕吾人由康熙這兩則訓誡皇室子孫的庭訓，可以清楚看到他重經史而輕詩文。

也就是因為康熙重經史、輕詩文的庭訓，當乾隆二十二年，朝廷將「詩」訂為科舉考試科目之一的時候，便嚴格規定詩的格律必須是「諧聲比律」〔註34〕、「排比聲韻，法至嚴密。一字不叶，則前功盡棄」〔註35〕；而其內容則必須如林豪所說的「士之唧唧向化者，諒無不揚風扢雅，以蘄至古之立言者矣。」〔註36〕要涵有風雅之致，甚至要能如古人的立言一般。

清代「詩」這個文類在官方的文學政策下，很明顯地走上了重形式，重教化的道路。所謂的形式，大約指的是講究詩體、格律、用典與對偶；所謂的教化，大約指的是涵有儒家的溫柔敦厚情致，可以陶冶人心。

筆者本論文以清領時期的臺灣儒學詩作為探討對象，在前面五個章節中，已經對清代的儒學思想緣起、儒學教育推展，甚至這個思想與教育如何輸入到臺灣，並持續發展之經過作了很詳細敘述。以下本章第四節與第五節中則將就儒學詩之形式作討論。這個討論之意義有四：一則在於了解 27 位宦臺儒官之儒學詩修辭藝術技巧；二則在於了解 11 位臺灣本土儒師之儒學詩修辭藝術技巧；三則在於由小見大，以了解這 38 位儒師之詩歌特色；四則在於藉此將這兩種儒師之儒學詩作比較，以了解當時清廷在臺灣實施儒學教育，除了讓臺灣士子因此而儒化之外，就詩歌這個文類來說，臺灣士子對宦臺儒官所教導的，其接受與傳播情形又是如何？

以下茲分詩體、格律、用典與對偶四個面向，先討論宦臺儒官，包括提督學政、地方行政首長、學官之儒學詩修辭藝術；接著再討論臺灣本土儒師之儒學詩修辭藝術。

〔註33〕以上兩則《庭訓》已引於本論文第三章之第三節之三。

〔註34〕此句已引於本論文之本章第二節的覺羅四明〈勘定海東書院學規〉中。

〔註35〕同上章節，此句已引於林豪〈續擬學約八條〉中。

〔註36〕同上章節，此句已引於林豪〈續擬學約八條〉中。

（一）提督學政

1. 在詩體方面

本論文筆者共例舉陳璸等九位提督學政的詩作 45 首，其中陳璸七律 2 首、七絕 1 首，總共是 3 首；夏之芳七絕 5 首，總共是 5 首；楊二酉七律 1 首，總共是 1 首；張湄七絕 5 首、五律 2 首、七律 1 首，總共是 7 首；范咸七絕 2 首、七律 5 首、五言三十二句長律 1 首，總共是 8 首；覺羅四明七絕 1 首、七律 1 首，總共是 2 首；楊廷理七律 5 首，總共是 5 首；徐宗幹七律有 1 首、五言十六句長律 9 首，總共是 10 首；吳大廷七律 1 首、五言二十句古詩 1 首、五言二十二句古詩 1 首，總共是 3 首。

若不分作者，而以詩歌體裁總數來說，則七絕有 14 首，五律有 2 首，七律有 17 首，五言十六句長律有 9 首，五言二十句古詩有 1 首，五言二十二句古詩有 1 首，五言三十二句長律有 1 首。有近體詩也有古體詩，而近體詩以七律最多，七絕次之，五律最少。

2. 在格律方面

正如筆者前述，因為清廷官方的文學政策關係，清領時期的宦臺儒官之儒學詩，吾人由格律方面來看，他們對近體詩中的七絕（筆者註：在筆者所列出者中沒有五絕）、五律、七律平仄格律之遵守，除了少數幾首外，其餘者可謂是中規中矩不敢逾越。若吾人用張仁青師的 16 個近體詩調譜，[註37] 來檢視九位提督學政的 14 首七絕、2 首五律、17 首七律，那麼吾人會發現只有陳璸〈手植朱子祠梅花〉的第三句「寫眞舊有廣平賦」之「廣」，此處應作平聲而用仄聲。又陳璸〈偶成示姪居士〉的第三句「官衙徐聽讀書聲」之「聽」，此處應作仄聲而用平聲。夏之芳〈偶成示姪居士〉的第三句「艷說紅毛舊時字」之「舊時」，此處應作平仄而用仄平。張湄〈衣服〉的第二句「尺布爲渾犢鼻同」之「鼻」，此處應作仄聲而用平聲。除了以上 4 首之外，其餘 28 首的平仄則都完全合於格律要求。

[註37] 據張仁青師在《唐詩采珍》中所說：近體詩共有 16 個調譜，分別是五絕的入韻平起、入韻仄起、不入韻平起、不入韻仄起；七絕的入韻平起、入韻仄起、不入韻平起、不入韻仄起；五律的入韻平起、入韻仄起、不入韻平起、不入韻仄起；七律的入韻平起、入韻仄起、不入韻平起、不入韻仄起。見高雄：前程出版社，頁 307～318。

3. 在用典方面

為見此九位宦臺提督學政的儒學詩,其表現在用典方面的藝術技巧。今筆者試舉二例以見之,譬如陳璸〈手植朱子祠梅花〉:

> 賞徧花叢愛老梅,賢祠左右手新栽。
>
> 寫真舊有廣平賦,入妙誰如和靖才。
>
> 風送清香迷瀚海,月移孤影度澄臺。
>
> 應知雨露春來厚,獨向元正傲雪開。──見(《全臺詩》第壹冊,頁248)

此詩第三、四句用典。第三句用初唐宋璟賦梅花之典故,《舊唐書·卷九十六·宋璟》說:宋璟,邢州南和人,其祖先由廣平遷來,為後魏吏部尚書宋弁之七代孫。璟少時即耿介有大節,博學而工於文翰,弱冠舉進士,當官正色,武則天甚器重之。開元初,徵拜刑部尚書。四年,遷吏部尚書,兼黃門監。明年,官名改易,為侍中,累封廣平郡公。〔註38〕又《全唐文·卷二百七》說:垂拱三年,宋璟餘春秋二十有五,戰藝再北,隨從父之東川,授館官舍。時病連月,顧瞻圯牆,有梅一本,敷蘤於榛莽中,喟然歎曰:「斯梅托非其所,出群之姿,何以別乎?若其貞心不改,是則可取也已。」感而成興,遂作賦。

第四句用林逋愛梅、詠梅之典故。林逋,北宋詩人,字君復,後人稱為和靖先生,錢塘(今浙江杭州)人。終身未婚娶,布衣未仕。大約40歲以前,長期漫遊於江淮一帶。中年以後隱居杭州西湖小孤山。喜歡梅與鶴,自稱「以梅為妻,以鶴為子」,而以〈山園小梅〉:「眾芳搖落獨暄妍,占盡風情向小園。疏影橫斜水清淺,暗香浮動月黃昏。霜禽欲下先偷眼,粉蝶如知合斷魂。幸有微吟可相狎,不須檀板共金尊。」一詩為代表。

又譬如范咸〈聞余初度諸生有欲以文壽者賦長句辭之〉:

> 知非未敢語吾曹,絳帳年來感二毛。
>
> 式穀猶應慚螟蠃,投綸竊欲避陽鱎。
>
> 暮春誰識絃中趣,深雪可知門外高。
>
> 但願諸生嫻禮樂,他年池上看揮毫。──見(《全臺詩》第貳冊,頁283)

此詩第二、三、四、五、六句都有用典。第二句之「絳帳」一詞,出自馬融絳帳授徒之典故。《後漢書·卷六十上·馬融列傳第五十上》說:東漢馬融,

---

字季長，扶風茂陵人，從京兆摯恂遊學，又說：「融才高博洽，爲世通儒，教養諸生，常有千數。涿郡盧植，北海鄭玄，皆其徒也。善鼓琴，好吹笛，達生任性，不拘儒者之節。居宇器服，多存侈飾。常坐高堂，施絳紗帳，前授生徒，後列女樂，弟子以次相傳，鮮有入其室者。」〔註 39〕；第三句之「式穀猶應慚螟蠃」一語，出自《詩經・小雅・小宛》：「中原有菽，庶民采之。螟蛉有子，蜾蠃負之。教誨爾子，式穀似之」之典故；第四句之「投綸竊欲避陽鱎」一語，出自《說苑》：「宓子賤爲單父宰，陽晝謂之曰：『投綸錯餌，迎而吸之者陽鱎也，肉薄而不美。』……子賤曰：『車驅之，此陽晝所謂陽鱎也』之典故；第五句「暮春誰識絃中趣」一語，出自孔子與弟子暮春三月遊於舞雩之典故；第六句「深雪可知門外高」一語，出自楊時、游酢爲追求更高學問，欲拜程頤爲師，而在程頤家門口立雪之典故。

　　根據筆者檢視，在 45 首提督學政之儒學詩中，大約就屬這兩首最具代表性，可見他們作詩還是比較喜歡趨向直白鋪陳，而不喜歡用典的厚重感。

4. 在對偶方面

　　在這 45 首提督學政詩作中，其中詩句中有明顯且工整對偶者即有大約 23 首，佔半數以上，由此可見他們雖然不喜用典，但是卻中規中矩地遵守近體詩以對偶爲正統的規定。以下筆者試將這些有對偶詩句者用簡表列之如下，以見他們的對偶藝術技巧：

簡表二十二：九位宦臺提督學政儒學詩之對偶修辭

詩數	宦臺儒官	詩題及詩體	詩　句	頁碼
1	陳璸	手植朱子祠梅花（七律）	寫眞舊有廣平賦，入妙誰如和靖才。 風送清香迷瀚海，月移孤影度澄臺。 （第二聯、第三聯）	第壹冊，頁 248
2	同上	文昌閣落成（七律）	臺斗經天由北轉，彩雲捧日自東升。 參差煙戶環璇闥，繡錯山河引玉繩。 （第二聯、第三聯）	第壹冊，頁 249
3	楊二酉	重陽海東書院（七律）	文苑連朝開霽色，春臺九月著羅裳。 種來桃李新多實，培得芝蘭舊有香。 （第二聯、第三聯）	第貳冊、頁 142

〔註39〕見范曄：《後漢書・卷六十上・馬融列傳第五十上》，臺北：鼎文書局，1987年（民76），頁 1972。

4	張湄	茅港道中（七律）	紅蕉徑裏居人少，紫蔗田邊牧豎閒。 小隊駸駸投野宿，前旌冉冉渡沙灣。 （第二聯、第三聯）	第貳冊， 頁 159
5	同上	北巡紀行四首之一（五律）	海氣山頭霧，番居竹裏樓。 衣冠移裸俗，毛稚並嬉遊。 （第二聯、第三聯）	第貳冊， 頁 158
6	同上	北巡紀行四首之二（五律）	彩帨迎輿舞，紅裳蹋臂歌。 野芳增髻飾，官酒恣顏酡。 （第二聯、第三聯）	第貳冊， 頁 158
7	范咸	聞余初度諸生有欲以文壽者賦長句辭之（七律）	式穀猶應慚蜾蠃，投綸竊欲避陽鱎。 暮春誰識絃中趣，深雪可知門外高。 （第二聯、第三聯）	第貳冊， 頁 283
8	同上	題褚太守祿觀稼圖（五言三十二句長律）	四月刈新穀，六月開新菑。（第3、4句） 逋逃何以絕，窮黎何以肥。（第27、28句）	第貳冊， 頁 270
9	同上	臺江雜詠十二首之七（七律）	冷食裸人占夏雨，水田黎婦盡春耕。 插秧鳥語知聲吉，懸穗禾間遍室盈。 （第二聯、第三聯）	第貳冊， 272～273。
10	同上	〈臺江雜詠〉十二首之八（七律）	花叢並蒂誇三友，草繡雙紋弄七絃。 珍重耳邊消息到，生憐額上畫眉煎。 （第二聯、第三聯）	第貳冊， 頁 273
11	同上	三疊臺江雜詠十二首之八（七律）	象物已新皇夏鼎，阜財更拂有虞絃。 中官投藥泉猶潔，狂虜游魂膏自煎。 （第二聯、第三聯）	第貳冊， 頁 281
12	覺羅四明	泮水荷香八首之四（七律）	芳氣半涵斜日淨，清標一抹晚霞紅。 浮塵微褒疏疏雨，掩映輕翻澹澹風。 （第二聯、第三聯）	第貳冊， 頁 352
13	楊廷理	試院感懷示生童二首之一（七律）	曩時自竭征誅力，此日深慚藻鑒明。 亂後士風宜振作，海濱文體望裁成。 （第二聯、第三聯）	見楊廷理：《知還書屋詩鈔》，頁292
14	同上	試院感懷示生童二首之二（七律）	何期秉教持冰鑒，更被殊恩挂雀翎。 學校風清心自爽，苞苴路絕眼俱清。 （第二聯、第三聯）	同上，頁292～293
15	同上	臺郡迎春口占（七律）	四野已霑三日雨，千家重見六旬人。 民經盜寇心多梗，郡撫番夷化未馴。 （第二聯、第三聯）	第參冊，頁 208～209

16	同上	噶瑪蘭道中口占二首之一（七律）	獰猙漸化民番習，澹泊能爲屬吏標。照眼野桃紅細細，濕衣曉霧白飄飄。（第二聯、第三聯）	第參冊，頁 233
17	同上	蘭城仰山書院新成志喜（七律）	行媲四知留矩範，道延一線合眞傳。文章運會關今古，理學淵源孰後先。（第二聯、第三聯）	第參冊，頁 234
18	徐宗幹	伏生新學始山東（五言十六句長律）	講由曾氏盛，訓自伏生遵。四海文宗魯，千年劫避秦。（第二聯、第三聯）	第肆冊，頁 267
19	同上	汲古得修綆（五言十六句長律）	玉甃盈涓滴，金繩細引抽。理從觀水溯，知豈挈瓶侔。（第三聯、第四聯）	第肆冊，頁 268
20	同上	學古有獲（五言十六句長律）	志本爲徒切，情恒無慮厪。敏求思一德，念典及三墳。（第三聯、第四聯）	第肆冊，頁 269
	同上	聽德惟聰（五言十六句長律）	無稽當戒謹，有蘊悉旁通。韜鐸咨詢切，輶軒採取公。（第三聯、第四聯）	第肆冊，頁 253
21	同上	七十述懷五首之四（七律）	安瀾路遠鯤身穩，柔遠情聯象譯通。孝悌壯丁修暇日，文章多士盼秋風。（第二聯、第三聯）	第肆冊，頁 284
22	吳大廷	書懷（五言二十句長律）	誰謂天處高，禱祈無不應。誰謂臺民頑，施令罔弗聽。（第一聯、第二聯）	第捌冊，頁 541
23	同上	憶臺灣（七律）	但添黌舍爲興學，豈忍舟車苦算緡。番社少奸三尺法，君恩分作萬家春。（第二聯、第三聯）	第捌冊，頁 542～543

說明：以上表列主要以《全臺詩》爲資料來源，故如果沒有特別說明者，書名將不再
　　重複：

　　由以上對偶句的例子來看，吾人確實可以發現此九位宦臺提督學政的作
詩功力絕非泛泛。

（二）地方行政首長

1. 在詩體方面

　　本論文筆者共例舉季麒光等七位地方行政首長的詩作 27 首，其中季麒光
七律 1 首，總共是 1 首；宋永清五律 2 首，總共是 2 首；孫元衡七絕 3 首、

五律 1 首、七律 1 首，總共是 5 首；譚垣五言十八句古詩 1 首、五言二十句古詩有 4 首、五言二十二句古詩 1 首、五言二十四句古詩 1 首，總共是 7 首；胡健七律 5 首，總共是 5 首；楊桂森七律 4 首，總共是 4 首；何如謹七絕 1 首、五律 1 首、七律 1 首，總共是 3 首。

若不分作者，而以詩歌體裁總數來說，則七絕 4 首，五律 4 首，七律 12 首，五言二十四句古詩 1 首，五言十八句古詩 1 首，五言二十句古詩 4 首，五言二十二句古詩 1 首。有近體詩也有古體詩，而近體詩以七律最多，七絕、五律相同。

2. 在格律方面

為了明白宦臺地方行政首長之儒學詩在格律方面的藝術技巧，今筆者也用張仁青師的 16 個近體詩調譜來檢視他們的儒學詩格律。

在 4 首七絕，4 首五律，12 首七律中，只有宋永清〈興建文廟恭記〉的第一句「荷花十里地」之「十」，此處應作平聲而用仄聲。張元衡〈茄留社〉的第三句「叱牛帶雨晚來急」之「晚」，此處應作平聲而用仄聲。胡健〈奎璧澳〉的第一句「奎璧光芒本列星」之「璧」，此處應作平聲而用仄聲，「芒」此處應作仄聲而用平聲，「列」此處應作平聲而用仄聲。楊桂森〈樂耕樓記事〉四首之四的第五句「作賦昔年共仙侶」之「共仙」，二字此處應作平仄而用仄平；第七句「立身應在最高處」之「最」，此處應作平聲而用仄聲。何如謹〈丁亥三月下浣將卸篆留別恆春僚友士民〉的第五句「惜別前宵抔痛飲」之「抔」，此處應作平聲而用仄聲。

而較特殊的是張元衡的〈因海客言勗文士〉一詩，全詩除了第一句外，第二句到第八句，每句都有一至二字的出格，第二句「偶然失路隨人群」之「隨」，此處應作仄聲而用平聲；第三句「有生最樂獨良友」之「獨」，此處應作平聲而用仄聲；第四句「與世不死惟高友」之「死」，此處應作平聲而用仄聲，「高」此處應作仄聲而用平聲；第五句「栟榦始萌裂地骨」之「裂」，此處應作平聲而用仄聲；第六句「鵬雛初奮垂天雲」之「垂」，此處應作仄聲而用平聲；第七句「沙蟲猿鶴從所化」之「所」，此處應作平聲而用仄聲；第八句「雌伏雄飛誰與分」之「伏」，此處應作仄聲而用平聲。

除了以上 6 首之外，其餘 14 首的平仄則都完全合於格律要求。

3. 在用典方面

為見此七位地方行政首長的儒學詩，其表現在用典方面的藝術技巧。今

筆者試舉二例以見之，譬如諸羅縣知縣季麒光〈視事諸羅〉：

　　西風輕拂使臣車，諭蜀相如舊有書。

　　細譯番音誠異域，喜看野俗尚皇初。

　　自來窮海無飛雁，從此荒村有市魚。

　　漫向空天長倚望，黃雲晚日接扶餘。──（見《全臺詩》第壹冊，頁182）

此詩第二句用典。「諭蜀相如舊有書」一句，出自司馬相如出使巴蜀之事。司馬相如，西漢蜀郡（今四川成都）人，除了學問淵博，文筆絕佳，有〈子虛賦〉、〈上林賦〉、〈長門賦〉、〈美人賦〉等之外，又因少時即愛好練劍，曾被景帝任命為「武騎常衛」。後來又兩度被武帝派任出使巴蜀，第一次在建元六年（135），他到了之後，對當地少數民族公告〈諭巴蜀檄〉進行安撫；第二次出使，他針對當地漢人作〈難蜀父老〉，力陳與少數民族和平相處之必要性，對巴蜀貢獻頗大。此處季麒光乃以司馬相如自喻，而以漢廷喻清廷，希望自己此次出使臺灣府諸羅縣，也能對諸羅縣有貢獻。

又譬如胡健〈留別文石書院諸生〉：

　　學舍難忘結構深，杖藜時聽讀書音。

　　雖無韓子興潮化，具有文翁教蜀心。

　　杼柚終當成錦繡，鴛鴦尤冀度金針。

　　諸生勉矣終如始，文石輝煌盡國琛。──（見《全臺詩》第貳冊，頁438）

此詩第三、四句用典。第三句使用中唐韓愈，因上疏反對憲宗迎佛骨，而被貶謫廣東潮州任刺使之典故。韓愈到了潮州之後，建校修學，興建水利，以工抵債釋放奴婢，為民除去鱷魚之害等等，讓潮州人感念萬分，因此雖然他只在潮州任官八個月，在他過世之後，潮州人仍然在當地建韓文公祠紀念他，此處胡健便是以韓愈自喻。第四句使用文翁在蜀地興學之典故，文翁，姓文，名黨，字仲翁，西漢舒縣（今安徽省盧江縣）人，少年好學，精通《春秋》。文翁在蜀地期間，除了帶領民眾穿湔江，灌溉繁田一千七百頃，擴大都江堰灌溉範圍外；又在成都修建學校，招收學生，為他們講學，挑選品學兼優者在旁側訓練辦事能力，蜀地人民感念他，在他過世後，於當地建祠祭祀，直至於今，此處胡健也是以文翁自喻。

　　大致上說來，七位地方行政首長的27首儒學詩，最能作為用典代表的也大約只有以上兩首，可見七位地方行政首長的儒學詩表現，在用典藝術這一方面是一致的。

4. 在對偶方面

至於在這 27 首地方行政首長之詩作中，其中詩句中有明顯且工整對偶者大約有 18 首，佔半數以上。以下筆者試將這些有對偶詩句者用簡表列之如下，以見他們的對偶藝術技巧：

簡表二十三：七位宦臺地方行政首長儒學詩之對偶修辭

詩數	地方行政首長	詩題及詩體	詩　句	頁　碼
1	季麒光	視事諸羅（七律）	細譯番音誠異域，喜看野俗尚皇初。 自來窮海無飛雁，從此荒村有市魚。 （第二聯、第三聯）	第壹冊，頁 182
2	宋永清	興建文廟恭記（五律）	泮壁流天際，圜橋架水渠。 千秋陳俎豆，萬國共車書。 （第二聯、第三聯）	第壹冊，頁 359
3	同上	茄藤社（五律）	亭亭橫野樹，漠漠擁沙堆。 蠻女騎牛去，番童逐鹿來。 （第二聯、第三聯）	第壹冊，頁 355
4	孫元衡	因海客言勗文士（七律）	有生最樂獨良友，與世不死惟高文。 柟榦始萌裂地骨，鵬雛初奮垂天雲。 （第二聯、第三聯）	第壹冊，頁 307
5	同上	秋日雜詩二十首之十（五律）	餳醸酬田祖，蠻謳賽水神。 蕷苗田鹿喜，蔗葉野牛馴。 （第二聯、第三聯）	第壹冊，頁 311
6	譚垣	上淡水社（五言二十四句古詩）	老番共扶攜，幼番各持挈。 惇龐誠可嘉，整肅尤可悅。 （第十聯、第十一聯）	第貳冊，頁 426
7	同上	阿猴社（五言二十句古詩）	城門固魚鑰，修篁如列雉。 編茅備堂奧，削土崇階阰。 （第三聯、第四聯）	第貳冊，頁 425
8	同上	武洛社（五言二十句古詩）	土目跪前迎，庶番互聯絡。 社丁雖稀少，勇壯俱超越。 （第三聯、第四聯）	第貳冊，頁 425
9	胡健	留別文石書院諸生（七律）	雖無韓子興潮化，具有文翁教蜀心。 杼柚終當成錦繡，鴛鴦尤冀度金針。 （第二聯、第三聯）	第貳冊，頁 438

10	同上	留別馬明經掌教(七律)	幾度藻芹滋化雨，一蹊桃李醉春風。莫忘治事分齋法，須記窮經按日功。（第二聯、第三聯）	第貳冊，頁438～439
11	同上	鼎灣澳（七律）	鼎峙中分廬上下，灣開四面地方圓。潭邊月載求魚艇，水涸人耕立鶴田。（第二聯、第三聯）	第貳冊，頁430
12	同上	奎璧澳（七律）	俗尚漁樵知力穡，戶敦仁讓喜橫經。城當北拱瞻辰極，湖自東連浴日溟。（第二聯、第三聯）	第貳冊，頁431
13	同上	留別澎屬衿耆（七律）	橫經負耒勤耕讀，恤困周貧睦里鄰。自古蒲鞭原有掛，於今案牘信無塵。（第二聯、第三聯）	第貳冊，頁439
14	楊桂森	閱卷偶間有作二首之一（七律）	尺寸量來尋繡虎，波濤寬處得金鰲。落花懼下孤寒淚，撈玉還防瓦礫淆。（第二聯、第三聯）	第肆冊，頁44
15	同上	樂耕樓記事四首之二（七律）	共願澆蘭勤婦子，何須播穀促商庚。兩膠造世頻觀學，三字題樓急厚生。（第二聯、第三聯）	第肆冊，頁43
16	同上	樂耕樓記事四首之四（七律）	敢矜求治心無已，且喜陳經日在庚。作賦昔年共仙侶，登樓此日伴諸生。（第二聯、第三聯）	第肆冊，頁43
17	何如謹	試士二首之二（五律）	枕戈增慷慨，投筆悔蹉跎。有感情難已，無端喚奈何。（第二聯、第三聯）	第拾冊，頁335
18	同上	〈丁亥三月下浣將卸篆留別恆春僚友士民〉四首之三(七律)	敢云時雨人皆化，為有春風座盡溫。惜別前宵拚痛飲，賞奇何日待重論。（第二聯、第三聯）	第拾冊，頁336

註：以上表列主要以《全臺詩》爲資料來源，故如果沒有特別說明者，書名將不再重複。

　　由以上對偶句的例子來看，吾人亦確實可以發現此七位宦臺地方行政首長的作詩功力，與提督學政比起來也不遑多讓。

（三）學　官

1. 在詩體方面

　　本論文筆者共例舉林紹裕等十一位學官的詩作 26 首，其中林紹裕七律 1 首，總共是 1 首；朱仕玠五言四十句古詩 2 首、五言一百句古詩 1 首，總共是 3 首；

吳玉麟七律 2 首，總共是 2 首；柯輅五律 1 首、七律 1 首，總共是 2 首；黃對揚七律 1 首，總共是 1 首；謝金鑾七絕 1 首，總共是 1 首；鄭兼才七律 1 首，總共是 1 首；劉家謀七絕 2 首，總共是 2 首；宋際春七絕 3 首、七律 1 首、五言二十二句長律 1 首、七言十二句長律 1 首，總共是 6 首；劉文芝七絕 1 首、五言四十四句古詩 1 首，總共是 2 首；林豪五律 3 首、七律 2 首，總共是 5 首。

若不分作者，而以詩歌體裁總數來說，則七絕 7 首，五律 4 首，七律 9 首，五言二十二句長律 1 首，七言十二句長律 1 首，五言四十句古詩 2 首，五言四十四句古詩 1 首，五言一百句古詩 1 首。有近體詩有古體詩，近體詩以七律最多，七絕次之，五律又次之。

2. 在格律方面

為了明白宦臺學官之儒學詩在格律方面的藝術技巧，今筆者也用張仁青師的 16 個近體詩調譜來檢視他們的儒學詩格律。

在 7 首七絕、4 首五律、9 首七律中，只有劉文芝〈戲題寫韻軒〉的第四句「文字能售幾許錢」之「售」，此處應作平聲而用仄聲出格之外，其餘 19 首的平仄則都完全合於格律要求。由此種很特別的現象呈現，也讓吾人進一步又確信彭國棟所說，清領時期被調派來臺的學官「亦多能詩之士」是真實的紀錄。

3. 在用典方面

為見此十一位學官的儒學詩，其表現在用典方面的藝術技巧。今筆者試舉二例以見之，譬如學官朱仕玠〈初至鳳山學署有感成二十韻〉：

> 所歷盡揶揄，矧茲饒瘴癘。何如百夫長，出入弓刀騎。
>
> 駭汗雨翻盆，拳身蝟縮刺。野鶴忍調饑，自韜霄漢志。
>
> 由來太行阪，鹽車有駃騠。——（見《全臺詩》第貳冊，頁 389～390）

以上所引為全詩四十句中之最後面十句，其中第三十九、四十句用典。朱仕玠用《戰國策》鹽車病驥和伯樂識馬典故。汗明曰：「君亦聞驥乎？夫驥之齒至矣，服鹽車而上大行。蹄申膝折，尾湛胕潰，漉汁灑地，白汗交流，中阪遷延，負轅不能上。伯樂遭之，下車攀而哭之，解紵衣以冪之。驥於是俛而噴，仰而鳴，聲達於天，若出金石聲者，何也？彼見伯樂之知己也。今僕之不肖，阨於州部，堀穴窮巷，沈洿鄙俗之日久矣，君獨無意浣拔僕也，使得為君高鳴屈於梁乎？」〔註40〕

〔註40〕見劉向：《戰國策·卷十七·楚策四·汗明見春申君》，臺北：世界書局，1975 年（民 64），頁 318。

又譬如宋際春〈官廨口號〉四首之三：

鵝湖鹿洞已風遙，監院何人似子韶。

只說蠅頭非講道，老夫閒慣不須招。——（見《全臺詩》第捌冊，頁408）

此詩為七言絕句，第一、二句用典。第一句「鵝湖鹿洞已風遙」，「鵝湖」用朱熹、陸九淵鵝湖辯論之典故。南宋淳熙二年（1175），呂祖謙為消弭程朱派理學，與心學派陸學之爭，出面邀請朱熹、陸九淵、陸九齡等人，在今江西省鉛山縣鵝湖山聚會，臨近郡縣官吏與學者百人列席觀會，而首開書院會講先河，史稱「鵝湖之會」。後人為紀念此事，在此建立書院，明景泰年間又重修擴建，並正式定名為「鵝湖書院」。至於「鹿洞」，則指白鹿洞書院，位於江西九江廬山五老峰南麓的後屏山之陽，朱熹曾在此講學，手訂白鹿洞書院學規，為宋代四大書院之一。

第二句「監院何人似子韶」，則用歐陽韶之典故。《明史》：「前觀政者，有歐陽韶，字子韶，永新人。薦授監察御史。有詔：『日命兩御史侍班』。韶嘗待直，帝乘怒將戮人。他御史不敢言，韶趨跪殿廷下，倉卒不能措詞，急捧手加額，呼曰：「陛下不可！」帝察韶朴誠，從之。未幾，致仕，卒於家。」〔註41〕

筆者檢視十一位學官的26首儒學詩，除了以上兩首之外，又譬如吳玉麟〈初至鳳山作〉中的「無虎因知政畏苛」一句，乃是反用《禮記・檀弓下》「苛政猛於虎」的典故；又他的另一首〈鳳山秩滿士民謀留任不遂歸日送者相屬於道感其意留別〉詩中的「只應士類思投轄」，便是使用東漢陳遵「投轄留賓」的典故；劉家謀〈海音詩百首〉之第六十二首的「少時了了大時差」一句，乃是由孔融與陳韙的那一段針鋒相對的「小時了了，大未必佳」典故而來；宋際春〈海東歎〉中的「白鹿富廩粟，鵝湖多銀錢」，便是由朱熹、陸九淵的典故而來，以上等等只是筆者大略舉出者。

由以上所舉例，吾人會發現學官之作詩功力，至少在運用典故這一方面，其藝術技巧是高於提督學政與地方行政首長的。何以如此，筆者已在本論文本章第四節的前言中有提到，彭國棟在《廣臺灣詩乘》有說到：「清代任學官者，例經考試，故多明經博雅之儒，其來臺者亦多能詩之士。」現在經過筆者藉由他們的儒學詩作分析，吾人知道彭國棟所說是正確的。

〔註41〕見張廷玉：《明史・卷一百三十九・列傳第二十七・歐陽韶》，臺北：鼎文書局，1982年（民71），頁3984。

4. 在對偶方面

至於在這 26 首學官之詩作中，其中詩句中有明顯且工整對偶者大約有 15 首，佔半數以上。以下筆者試將這些有對偶詩句者用簡表列之如下，以見他們的對偶藝術技巧：

簡表二十四：十一位宦臺學官儒學詩之對偶修辭

詩數	學官	詩題及詩體	詩 句	頁 碼
1	林紹裕	巡社課番童（七律）	檳榔交暗青圍社，椰子高懸赤映門。卉服授經通漢語，銅鐶把末識君恩。（第二聯、第三聯）	第貳冊，頁 366
2	朱仕玠	初至鳳山學署有感成二十韻（五言四十句古詩）	兒童拍手笑，婦女掉頭詈。壁立絕几榻，廚荒假食器。（第九聯、第十聯）	第貳冊，頁 390
3	同上	上朱臬憲五十韻（五言一百句古詩）	沐侯輕儒冠，亡羊愴挾筴。過蒙冀北顧，留滯周南客。（第九十七聯、第九十八聯）	第貳冊，頁 391
4	吳玉麟	初至鳳山作（七律）	有狐半為荒城廢，無虎因知政畏苛。問字經誰橫北面，閒行犬共吠東坡。（第二聯、第三聯）	第參冊，頁 76
5	同上	鳳山秩滿士民謀留任不遂歸日送者相屬於道感其意留別（七律）	只應士類思投轄，何意居民亦臥車。借寇難留情已盡，懷清易飽苦同茹。（第二聯、第三聯）	第參冊，頁 76
6	柯輅	玉峰書院借廬（七律）	家無醇酒貪留客，橐有俸錢常買書。半日吟詩登小閣，幾人問字到吾廬。（第二聯、第三聯）	第參冊，頁 282
7	黃對揚	巡課新港番童（七律）	幾團綠樹迷村外，十里青畦到馬前。聞說夷人敦舊俗，也參講席味真詮。（第二聯、第三聯）	第參冊，頁 417
8	鄭兼才	羅漢門莊（七律）	流水故將村路斷，遠山都受竹圍遮。深藏地勢當城郭，團練鄉兵作爪牙。（第二聯、第三聯）	第參冊，頁 303
9	宋際春	微官（七言十二句長律）	迎風每候旌旗隊，束帶深慚面目儒。顧我埋頭唯蠹簡，憐他掛頜有驪珠。（第三聯、第四聯）	第捌冊，頁 404

10	同上	東齋自述（七律）	冷官屋破桄榔雨，浮海風腥首蓿盤。 長是學趨恭上謁，斷無談道抗高顏。 （第二聯、第三聯）	第捌冊，頁 409
11	林豪	齋頭不戒於火作此示諸生步黃子珍贊府元韻（七律）	未到純青爐際徹，何來虛白室中生。 灰收餘燼光猶射，力掃浮煙學始成。 （第二聯、第三聯）	第玖冊，頁 378
12	同上	送文石書院諸生赴省秋試並呈潘司馬二首之二（七律）	馬縱識途嗟老矣，驅將開道氣昂然。 虎門潮湧濡椽筆，鯤海秋高送客船。 （第二聯、第三聯）	第玖冊，頁 380
13	同上	碧珊瑚夜坐書懷八首之一（七律）	故交悲異物，弟子話同鄉。 鷗侶來堪狎，鴉塗過亦忘。 （第二聯、第三聯）	第玖冊，頁 363
14	同上	碧珊瑚夜坐書懷八首之二（五律）	且評更甲乙，歲守類庚申。 靜裡觀心妙，閒中得趣眞。 （第二聯、第三聯）	第玖冊，頁 364
15	同上	碧珊瑚夜坐書懷八首之三（五律）	潮迴魚可買，市遠酒難賒。 架上催詩鉢，門前問字車。 （第二聯、第三聯）	第玖冊，頁 364

註：以上表列主要以《全臺詩》爲資料來源，故如果沒有特別說明者，書名將不再重複。

　　由以上對偶句的例子來看，吾人也確實可以知道此十一位宦臺學官的作詩功力，與提督學政及地方行政首長比起來，也是一樣不遑多讓。

（四）宦臺儒官儒學詩小結

　　以上宦臺儒官儒學詩之修辭藝術技巧，若姑且依據筆者所引之提督學政、地方行政首長、學官三者之儒學詩作統計，全部總共有 98 首詩。

　　先說詩體方面：則七絕總共有 25 首，五律總共有 10 首，七律總共有 38 首，五言長律總共有 11 首，五言古詩總共有 13 首，七言長律總共有 1 首。由此可以知道，宦臺儒官之儒學詩，以用近體詩寫作者佔絕大多數；而近體詩中，又以七言律詩最被普遍使用，七絕次之，五律又次之。在古體詩方面，則以五言古詩最被普遍使用，五言長律次之，七言長律又次之。

　　再說格律方面：吾人由上項分析知道，宦臺儒官之儒學詩，就近體詩來說，他們守格律者多，出格律者少，尤其是學官，可能是因爲他們長期必須用最標準的格律要求學生習作詩歌，因此養成習慣，自己在作詩時也謹守格

律規定；當然，也有可能是他們作詩的功夫已經爐火純青，可以因應格律要求，隨機鑄詞造句而不會出格。

再說用典方面：宦臺儒官之儒學詩，三者之中以學官用典最多，而他們三者所用的典故出處遍及經、史、子、集，由此吾人亦足以看出，當時清代儒學士子們所受的儒學教育紮實之一斑。

至於對偶方面：全部 98 首詩當中，詩句中有明顯工整對偶者大約 56 首（請詳見簡表二十二、二十三、二十四）；而其他沒有對偶的 42 首，其實它們的詩句中，也是有對偶的，但因為只有相鄰兩句對偶，而非四句一組各自兩兩相對，因此在筆者從嚴認定下，未將它們表列出而已。因此筆者對清代宦臺儒官之儒學詩在對偶這方面的結論是：他們都非常重視詩作之對偶，而且表現出高度藝術技巧。

第五節　清代臺灣本土儒師之儒學詩藝術表現析論

亦如宦臺儒官一樣，今日吾人由臺灣本土儒師之詩作中，所能見到他們針對詩文理論發抒看法者也不多，以下筆者亦姑且以《全臺詩》為資料來源，舉章甫和鄭用錫為例，以見他們對詩文之美學觀點。

一、臺灣本土儒師之詩文理論

章甫，臺灣縣（今臺灣省臺南市）人，生於乾隆二十五年（1760），卒於嘉慶二十一年（1816）設教里中。他的〈論詩〉九首，反映了他對中國歷代詩歌發展之深刻認識，以及對每個朝代詩歌之評論。

章甫此九首皆為七言律詩，每首詩皆有一個主題，他依中國朝代順序，分述每個朝代詩歌之特色，與其說是詩學理論，不如說是詩歌評論。茲因篇幅關係，筆者僅第一首、第四首、第五首，以及第九首錄其全詩，其餘每首皆只截取詩中之一部分示之。以下試依九首之順序述之。〈論詩〉九首之一：

> 未曾刪訂未堪存，古作三千亦太繁。
>
> 一自聖人編得所，至今學者擅專門。
>
> 全經窮盡須三頌，要旨參來蔽一言。
>
> 若問正範何自始，溫柔敦厚是詩源。——見（《全臺詩》第參冊，頁 366）

此詩章甫評論《詩》，肯定孔子刪詩之功，認為如果沒有孔子刪詩，那麼《詩》

將沒有保存價值。又說《詩》之能夠被評價爲「正而葩」，是因爲它「溫柔敦厚」之本質。由此吾人可見章甫對《詩》與孔子推崇之一斑。以下〈論詩〉九首之二：

> 離騷賦祖兼詩祖，未有無情更有詩。
>
> 會意不須求甚解，闕疑乃可賞其奇。

此處所引爲前四句。此詩章甫針對屈原〈離騷〉作評論，認爲〈離騷〉既是中國「賦」之始祖，也是「詩」之始祖，在情感表現上眞而適切，沒有濫情之弊，雖然文字有深晦不易懂之處，但也因此更可讓人欣賞到它奇偉之特色。以下〈論詩〉九首之三：

> 生風嘯虎擅劉曹，莫角奇才是兩豪。
>
> 後世幾曾追漢魏，當年直欲薄風騷。

此處所引爲前四句。此詩章甫針對漢魏建安七子作評論，尤其是曹氏兄弟，認爲他們之詩歌，足以直逼〈國風〉與〈離騷〉。以下〈論詩〉九首之四：

> 晉氏清言亦雅騷，元音莫雜土音操。
>
> 不隨里耳嫌聲大，乃唱歌喉擅曲高。
>
> 六代煙花空剩粉，三唐滋味足流膏。
>
> 浸淫初盛參中晚，全豹窺來一世豪。

此詩章甫評論兩晉南北朝之詩。很顯然地，他對兩晉南北朝能夠吸收吳歌、西曲等地方小詩而鎔爲一爐表示肯定。因此他在後四句說，六代金粉雖然已如煙花消散，但卻成爲浸淫唐代詩歌之流膏。以下〈論詩〉九首之五：

> 詩仙詩鬼又詩囚，去取多偏各有由。
>
> 奇想都能憑己出，雄詞何必與人猶。
>
> 直探學海無量底，便立騷壇最上頭。
>
> 觸手生春皆妙諦，翻新花樣也風流。

此詩章甫針對唐詩作評論，認爲唐詩之表現多元可喜，譬如李白、李賀、孟郊、賈島等人，都能各擅其才，奇想都是由己而出，不必去模仿別人。他們汲取前代人無窮盡學說作養分，建立自己在詩壇上最崇高之地位，信手拈來皆爲妙句，即使是後來翻新花樣的詩餘，也是表現得風情萬種。以下〈論詩〉九首之六：

> 後來五代僅炎炎，大宋風華三百年。
>
> 漫恨流波盡滄海，請看湧斛出源泉。

此處所引爲前四句。此詩章甫針對五代及兩宋詩作評論，認爲此時期之詩歌已是流波之末，難免憾恨欲振無力。以下〈論詩〉九首之七：

> 金元詩味少淵涵，風格蕭疏卻不慚。
>
> 勁氣由來在西北，和聲可得似東南。

此處所引爲前四句。此詩章甫針對金元時期之詩作評論，認爲金元兩朝之詩缺少深厚之淵源，因此風格顯得蕭疏，帶著西北方勁氣。以下〈論詩〉九首之八：

> 元後明詩辨體裁，扢揚一代亦多才。
>
> 七賢久已風流繼，四子先將氣運開。

此處所引爲前四句。此詩章甫針對明代之詩作評論，說明代二百七十年間詩人之作品亦復不少，前七子之所倡導之擬古主義風氣剛過，後七子擬古主義又起，**聲勢浩大**，而以李攀龍、王世貞、何景明、李夢陽四人開氣運之先。以下〈論詩〉九首之九：

> 國朝雅詠直賡歌，名作如林較昔多。
>
> 百代風謠歸採錄，萬家韻學受包羅。
>
> 言詩派本聖賢衍，入樂聲眞天地和。
>
> 鳴盛都由性情正，寧徒景物善吟哦。

此詩章甫針對本朝（即清朝）之詩作評論，指出自己朝代之詩歌特色，在於能將前面百代詩歌之優點兼採並收；也能將前面萬家之詩韻兼容並蓄；而且言詩本於聖賢，性情出於端正。

由以上九首章甫評論中國歷代詩歌之詩論，吾人看到清代臺灣本土士子學問淵博，知識廣泛之一斑；也再次知道清代朝廷所提倡之「正文體」觀念，已在臺灣本土士子腦海中生根。他們也認爲「言詩派本聖賢衍」、「鳴盛都由性情正」，並非只是善於吟詠景物就算，而是要能「明道」，始爲文體之正者。

鄭用錫，生於乾隆五十三年（1788），卒於咸豐八年（1858），竹塹（今新竹市）人，曾擔任明志書院山長多年。今日吾人可見到之鄭用錫詩文理論有〈先器識後文藝〉二首。現在先說〈先器識後文藝〉得仙字二首之一：

> 唐代多文藝，難期器識全。末應居厥後，大必立其先。
>
> 容物虛能受，觀人見勿偏。有餘須力學，不試故心專。
>
> 四者分華實，參之互比權。德才誰命世，憂樂敢希賢。
>
> 相顧言兼行，宜區倦與傳。通儒修素踐，摛藻頌堯天。

——見（《全臺詩》第陸冊，頁176）

此首為五言十六句長律。在此詩中，鄭用錫一開始便以器識作為衡量標準，評論唐代雖有詩、文、傳奇等不同文藝術類型，然而難以期望這些作品皆有宏大器識。因此他由此立論，而說末者應該居於後，而大者應該立在先。至於要如何才能培養出宏大器識，鄭用錫說，要能虛以容物、觀人勿偏、餘力則學、專心一致；又必須與民同憂樂、言行合一；當成為通達之儒者以後，自然就能鋪采摛文開始創作了。

　　再說〈先器識後文藝〉得仙字二首之二：

　　　　得士推唐代，裴公判後先。識毋同器囿，藝乃並文傳。

　　　　遠大車能任，高明鏡自懸。兼修三策衍，他技六書專。

　　　　貴實真儒尚，爭名末學偏。兩端宜緩急，四事有虧全。

　　　　論秀升群彥，分科判眾賢。圭璋今特達，樂育被堯天。

——見（《全臺詩》第陸冊，頁176）

此首為五言十六句長律。在此詩中，鄭用錫亦以唐代為例，立論發抒先器識後文藝之議題。他說，人之器識不要如器物般被侷限住，這樣，華采才能與文章同流傳；心胸要遠大才能致遠，心地要如明鏡高懸；要兼修天人三策之道理，專心學習六書之學；能崇尚事實就能成為真儒，若只知爭名奪利則為末學矣；名利兩端須知輕重緩急，人生四事有圓滿也有虧缺。鄭用錫言下之意，告誡世人要皆先培養器識，而後為文藝之事，如此才能藝與文並傳於世。

　　吾人若仔細推尋鄭用錫此二詩之詩意由來，會發現「先器識後文藝」之說來自於夏之芳〈海天玉尺編初集序〉（請詳見本論文之本章）。夏之芳雍正六年（1728）年以巡臺御史兼提督學政宦臺，他在初集序中便告訴學生應該要：「士先器識、而後文藝」，而果能如此，才能馴其子弟、化導鄉人，達到所謂「上以鼓吹休明，下以轉移風俗」之境界。

　　鄭用錫生於1788年，上距夏之芳1728年宦臺已有六十年之久，但夏氏此篇序文之意，卻被鄭用錫所取，可見當時宦臺儒官對臺灣本土士子影響深遠之一斑。

二、臺灣本土儒師儒學詩之修辭藝術

　　以下筆者亦與析論宦臺儒官儒學詩一樣，從詩體、格律、用典與對偶四方面，探討臺灣本土儒師儒學詩之修辭藝術技巧。

（一）修辭藝術

1. 在詩體方面

本論文筆者共例舉臺灣本土儒師之詩作 98 首，其中章甫七絕 4 首、五律 2 首、七律 3 首、五言十六句古詩 1 首、五言二十四句古詩 1 首，總共是 11 首；鄭用錫七絕 1 首、五律 1 首、七律 9 首、五言十六句長律 1 首、五言二十四句長律有 3 首、五言二十句長律 1 首、五言三十二句古詩 1 首、五言十四句古詩 1 首，總共是 18 首；鄭用鑑七絕 1 首、七律 3 首、五言十句長律 1 首、五言十二句長律 1 首，總共是 6 首；陳維英七絕 14 首、七律 3 首、七言二十四句長律 1 首、聯語 14 首，總共是 32 首；施瓊芳五言十六句長律 2 首、五言一百句長律 1 首，總共是 3 首；李逢時七絕 4 首、五言三十句古詩 1 首，總共是 5 首；李望洋五言十六句長律 3 首，總共是 3 首；黃敬七絕 2 首、歌詠詩 2 首，總共是 4 首；陳肇興五律 2 首、七律 3 首、五言十四句長律 1 首、五言二十二句長律 1 首，總共是 7 首；許南英七絕 2 首、七律 2 首、五言二十四句古詩 1 首，總共是 5 首；施士洁五言十四句古詩 4 首，總共是 4 首。

若不分作者，而以詩歌體裁總數來說，則七絕 28 首、五律 5 首、七律 23 首、五言十句長律 1 首、五言十二句長律 1 首、五言十六句長律 6 首、五言二十句長律 1 首、五言二十二句長律 1 首、五言二十四句長律 3 首、五言一百句長律 1 首、七言二十句長律 1 首、五言十四句古詩 6 首、五言十六句古詩 1 首、五言二十四句古詩 2 首、五言三十句古詩 1 首、五言三十二句古詩 1 首，聯語 14 首、歌詠詩 2 首。近體詩多於古體詩，七絕最多，七律次之，而最值得注意的是長律總數多達 16 首，長古也有 5 首之多。

吾人若由筆者所列出之宦臺儒官共 27 人的 98 首詩，來與所列出之臺灣本土儒師共 11 人的 98 首詩作比較，會發現單是從詩體這一方面來說，臺灣本土儒師就比宦臺儒官，更善於創作長篇大幅的儒學詩，足見臺灣本土儒師寫作詩歌雄厚能力之一斑。

2. 在格律方面

爲了明白宦臺學官之儒學詩在格律方面的藝術技巧，今筆者也用張仁青師的 16 個近體詩調譜來檢視他們的儒學詩格律。

在 28 首七絕、5 首五律、23 首七律中，章甫〈示兒孫〉的第五句「尙剩琢椎地」之「琢」〔註 42〕，此處應作平聲而用仄聲。章甫〈塾課即事〉的第

〔註42〕「琢」是入聲，在入聲三覺韻。

八句「端應踏上最上層」之「上」，此處應作平聲而用仄聲。章甫〈貧士嘆〉
的第五句「窮鬼送文幻」之「送」，此處應作平聲而用仄聲；第七句「交遊自
然少」之「自然」，此處二字應作平仄而用仄平。鄭用錫〈刺時〉的第三句「門
真如市沽應時」之「時」，此處應作平聲而用仄聲。陳維英〈警諸生〉的第七
句「教人究莫使人巧」之「使」，此處應作平聲而用仄聲。陳維英〈嘲薄待塾
師〉的第三句「修金薄更小錢夥」之「小」，此處應作平聲而用仄聲。陳肇興
〈賴氏莊〉的第七句「衹因素相愜」之「素相」，二字此處應作平仄而用仄平。
許南英〈留別徐聞紳士〉的第三句「廣坐衣冠忝俗吏」之「忝」，此處應作平
聲而用仄聲。

　　除了以上 8 首之外，其餘 48 首的平仄則都完全合於格律要求。由臺灣本
土儒師在格律運用上之中規中矩表現，吾人亦須佩服他們在創作詩歌上的能
力，因為他們和宦臺學官一樣，皆能遵守格律規定，鑄詞造句信手拈來而不
出格，這除非有深厚功夫，不然何以致之。

3. 在用典方面

　　為見此 11 位臺灣本土儒師的儒學詩，他們表現在用典方面的藝術技巧。
今筆者試舉四例以見之，譬如章甫之〈塾課即事〉：

> 花村夜雨讀書燈，曉起茶煎午飯蒸。
>
> 得氣先知春鴨水，篤時難語夏蟲冰。
>
> 移山畢竟非無濟，超海從來是不能。
>
> 千里要窮樓上目，端應踏上最高層。——（見《全臺詩》第參冊，頁 378～379）

此首之第三、四、五、六、七、八句都用典。第三句「得氣先知春鴨水」，出
自蘇軾為宋僧惠崇所畫之「春江晚景」作題畫詩二首，其中之第一首：「竹
外桃花三兩枝，春江水暖鴨先知。蔞蒿滿地蘆芽短，正是河豚欲上時。第四
句「篤時難語夏蟲冰」，出自《莊子・秋水篇》：「北海若曰：『井蛙不可以語
於海者，拘於虛也；夏蟲不可以語於冰者，篤於時也；曲士不可以語於道者，
束於教也。』」第五句「移山畢竟非無濟」，出自《列子・湯問篇》，高齡九
十之愚公，欲移開擋住他家去路之太行、王屋二山的寓言故事。第六句「超
海從來是不能」，出自《孟子・梁惠王（上）》：「挾泰山以超北海，語人曰：『吾
不能』，是誠不能也；為長者折枝，語人曰：『吾不能』，是不為也，非不能也。」
第七、八句「千里要窮樓上目，端應踏上最高層」出自王之渙〈登鸛鵲樓〉：
「白日依山盡，黃河入海流；欲窮千里目，更上一層樓。」

又譬如鄭用錫之〈璟孫體弱未嚴課而詩文日進喜而賦此〉的第二聯出句:「冀汝清聲逾老鳳」,便是出自李商隱〈韓冬郎即席爲詩相送一座盡驚他日余方追吟連宵侍坐裴回久之句有老成之風因成二絕寄酬兼呈畏之員外〉二首之一:「十歲裁詩走馬成,冷灰殘燭動離情。桐花萬里丹山路,雛鳳清於老鳳聲。」〔註43〕

又譬如陳維英〈警諸生〉二首之二:

黃鵠紛心放不求,三郎非睡即閒遊。

教人究莫使人巧,善奕從茲笑奕秋。——(《全臺詩》第伍冊,頁194)

此首爲七言絕句,沒有對偶。整首詩用《孟子·告子(上)》之典故,曰:「今夫奕之爲數,小數也,不專心致志,則不得也。奕秋,通國之善奕者也。使奕秋誨二人奕,其一人專心致志,惟奕秋之爲聽,一人雖聽之,一心以爲有鴻鵠將至,思援弓繳而射之,雖與之俱學,弗若之矣。爲是其智弗若與?曰:非然也。」

又譬如李逢時〈貧居〉二首之一:

不到奇窮品不高,業儒終鮮富而豪。

囊中一向無長物,范叔甘寒愧贈袍。——(《全臺詩》第玖冊,頁61)

此首爲七言絕句,沒有對偶。整首詩反用《史記·范雎、蔡澤列傳》,須賈賜范雎綈袍之典故,列傳說:「范雎既相秦,秦號曰張祿,而魏不知,以爲范雎已死久矣。魏聞秦且東伐韓、魏,魏使須賈於秦。范雎聞之,爲微行敝衣閒步之邸,見須賈。須賈見之而驚曰:『范叔固無恙乎!』范雎曰:『然』,須賈笑曰:『范叔有說於秦邪?』曰:『不也,雎前日得過於魏相,故亡逃至此,安敢說乎!』須賈曰:『今叔何事?』范雎曰:『臣爲人庸賃』。須賈意哀之,留與坐飲食,曰:『范叔一寒如此哉!』乃取其一綈袍以賜之。須賈因問曰:『秦相張君,公知之乎?吾聞幸於王,天下之事皆決於相君,今者事之去留在張君。孺子豈有客習於相君者哉?』范雎曰:『主人翁習知之。唯雎亦得謁,雎請爲君見於張君。』須賈曰:『吾馬病,車軸折,非大車駟馬,吾固不出。』范雎曰:『願爲君借大車駟馬於主人翁』范雎歸取大車駟馬,爲須賈御之,入秦相府。府中望見,有識者皆避匿。須賈怪之。至相舍門,謂須賈曰:『待我,我爲君先入通於相君』。須賈待門下,持車良久,問門下曰:『范叔不出,何

〔註43〕見《全唐詩·卷五四〇·李商隱》,北京市:中華書局,1999年(民88),頁6234。

也？』門下曰：『無范叔』。須賈曰：『鄉者與我載而入者』。門下曰：『乃吾相張君也』。須賈大驚，自知見賣，乃肉袒膝行，因門下人謝罪。」〔註44〕

　　觀之臺灣本土儒師之儒學詩，用典雖然也不是很多，但是和宦臺儒官儒學詩之用典一樣，典故出處也是遍及經、史、子、集，而且多能巧妙地加以鎔鑄變化，譬如章甫之〈示兒孫〉第二聯出句：「固窮休送鬼」，便是語出韓愈〈送窮文〉；第三聯對句「寧艱補石天」，便是用女媧煉石補天之神話故事。又譬如鄭用錫之〈詠閩儒・李延平先生〉第三聯出句：「一室簞瓢樂」，便是語出〈論語・雍也第六〉孔子讚美顏淵之「一簞食，一瓢飲，在陋巷，人不堪其憂，回也不改其樂。」又譬如陳維英之〈齋中書事〉二首之二的第二聯出句：「蓬茅半破秋風屋」，便是語出杜甫〈茅屋爲秋風所破歌〉等等。

4. 在對偶方面

　　在這98首臺灣本土儒師之詩作中，其中詩句中有明顯且工整對偶者大約有 39 首（請詳見簡表二十五），〔註45〕不過這個數字並不代表臺灣本土儒師不重視詩作之對偶，而是其中有 14 首陳維英之聯語，筆者從嚴處理，並未將它們列入表中之故。以下筆者試將這些有對偶詩句者用簡表列之如下，以見他們的對偶藝術技巧：

簡表二十五：十一位臺灣本土儒師儒學詩之對偶修辭

詩數	臺灣本土儒師	詩題及詩體	詩　　句	頁　碼
1	章甫	因病省試不果書以誌勉（七律）	不才敢恨輸先著，多病偏教落後期。驢背雞聲憑獻策，葭蒼露白但吟詩。（第二聯、第三聯）	第參冊，頁 346
2	同上	示采兒（五言二十四句古詩）	人無百歲身，形骸難長保。人有千載名，讀書爲最寶。（第一聯、第二聯）	第參冊，頁 313～314
3	同上	示兒孫（五律）	固窮休送鬼，安業亦云仙。尚剩琢錐地，寧艱補石天。（第二聯、第三聯）	第參冊，頁 320

〔註44〕見《史記・卷七十九・列傳第十九・范睢、蔡澤列傳》，臺北：文馨出版社，1975 年（民 64），頁 972～973。

〔註45〕在這 39 首當中，其實有部分長律，在一首當中有多組對偶，但筆者爲節省篇幅，概只列出一組，譬如施瓊芳之〈題陳忠愍公遺像〉五言一百句長律便是。

4	同上	曉鏡四吟有記·崇儒辟釋（五律）	佛自面面分千變，道自頭頭會一元。 不受鎖韁纏世界，何須衣鉢淨天根。 （第二聯、第三聯）	第參冊，頁 375
5	同上	塾課即事（七律）	得氣先知春鴨水，篤時難語夏蟲冰。 移山畢竟非無濟，超海從來是不能。 （第二聯、第三聯）	第參冊，頁 378～379
6	同上	貧士嘆（五律）	飢憐疏食樂，寒覺縕袍親。 窮鬼送文幻，寒儒應識眞。 （第二聯、第三聯）	第參冊，頁 326
7	鄭用錫	述德（七律）	畢世儉勤嘗薤韭，千秋俎豆盼粉榆。 刊碑父老談名姓，遺燼兒孫謹步趨。 （第二聯、第三聯）	第陸冊，頁 78
8	同上	七十自壽八首之二（七律）	五經鼓吹依函几，十載簧燈課草廬。 拜母相傳能擇里，生兒敢負望充閭。 （第二聯、第三聯）	第陸冊，頁 104
9	同上	景孫讀書鄰花居二首之一（五律）	丹鉛誰默契，文字幾知交。 努力傳家學，游心在典文。 （第二聯、第三聯）	第陸冊，頁 34
10	同上	璟孫體弱未嚴課而詩文日進喜而賦此（七律）	冀汝清聲逾老鳳，喜無騃駕異凡駒。 文章有福關聰穎，軌範相期共步趨。 （第二聯、第三聯）	第陸冊，頁 93
11	同上	讀書聲裡是吾家（五言十六句長律）	座有談經席，門多問字車。 風雲看萬里，桑柘隔三叉。 （第三聯、第四聯）	第陸冊，頁 185
12	同上	詠閩儒·李延平先生（五言二十四句長律）	一室簞瓢樂，千秋衣鉢傳。 機倪闡神鬼，奧窔洞山川。 （第三聯、第四聯）	第陸冊，頁 48
13	同上	詠閩儒·李伯紀先生（五言二十四句長律）	十議終何補，兩宮休更論。 君王自明聖，臣子獨煩冤。 （第三聯、第四聯）	第陸冊，頁 48
14	同上	詠閩儒·蔡西山（五言二十四句長律）	河洛千秋祕，韜鈐百技長。 先生能啖薺，老友許聯床。 （第三聯、第四聯）	第陸冊，頁 48
15	同上	余主明志書院講席入都後代者爲藻亭弟今春假還仍主之誌感〉二首之二（七律）	已無舊雨惟新雨，翻覺新場是故場。 謬負虛名推老輩，叼聯雅誼屬同鄉。 （第二聯、第三聯）	第陸冊，頁 69

16	同上	明志書院勗諸生 （七律）	聊借毫端評月旦，敢誇皮裡有春秋。 賦成五色雖迷目，筆掃千軍始出頭。 （第二聯、第三聯）	第陸冊， 頁90
17	同上	觀童子試喜賦 （七律）	小試如同新字女，阿婆尙憶少年時。 據鞍自盼心還壯，見獵猶欣鬢已絲。 （第二聯、第三聯）	第陸冊， 頁218
18	同上	刺時（七律）	門眞如市沽應時，席果懷珍聘自來。 一紙揮毫同畫券，千金論價只輸財。 （第二聯、第三聯）	第陸冊， 頁219
19	同上	朽蠹（七律）	誰笑半生惟祭獺，漫陳百軸似搬薑。 可憐努力終無補，況值衰年更善忘。 （第二聯、第三聯）	第陸冊， 頁61
20	鄭用鑑	讀《易》漫興（七律）	變化卦爻欣自得，湛明經術實堪儲。 若能棲止身爲鳳，何必奔馳食要魚。 （第二聯、第三聯）	第陸冊， 頁252
21	同上	偶成二首之一 （七律）	萬事無如名教樂，千秋常繫古人心。 家風清白儒爲貴，世味酸鹹境要深。 （第二聯、第三聯）	第陸冊， 頁242。
22	同上	偶成二首之二 （七律）	無邊風月吾廬大，脫略形骸世網寬。 自謂羲皇胸浩浩，相逢堯舜意漫漫。 （第二聯、第三聯）	第陸冊， 頁242
23	陳維英 〔註46〕	喝馬仰山書院記事 （七言二十句長律）	學海共源懷梓里，仰山對崎表蘭城。 席前地接文昌府，門下天生武庫英。 （第三聯、第四聯）	第伍冊， 頁161
24	同上	齋中書事二首之一 （七律）	執經弟子多恂謹，糾過無人惜別離。 病後還斟澆塊酒，閒來偶索閉門詩。 （第二聯、第三聯）	第伍冊， 頁171
25	同上	齋中書事二首之二 （七律）	蓬茅半破秋風屋，苜蓿空盛朝日盤。 識字始知非快活，求錢眞箇是艱難。 （第二聯、第三聯）	第伍冊， 頁171
26	同上	寒食偶成（七律）	諸生祭掃俱歸里，夫子寂寥幾入禪。 飯冷青精廚禁火，盤供苜蓿日生煙。 （第二聯、第三聯）	第伍冊，頁 173～174

〔註46〕陳維英之對聯皆只有兩句，筆者從嚴處理，而未將其列入。

27	施瓊芳	送四兄昭玉六弟昭澄附海舟西歸晉省應試鄉闈五言一百句長律（五言一百句之長律）	晨昏睽愛日，寒暑感移杓。世澤榮科目，慈闈福冀徼。（第四十九聯、第五十聯）	第伍冊，頁383～384
28	同上	度己以繩（五言十六句長律）	緣識心為準，端資法若繩。木因從克正，絲以直堪稱。（第三聯、第四聯）	第伍冊，頁465
30	同上	諸生講解得切磋（五言十六句長律）	薛碣奇文字，槐街古服冠。丁鴻資辯藪，亥豕釋疑團。（第三聯、第四聯）	第伍冊，頁458
31	李望洋	敷教在寬（五言十六句長律）	善誘因成美，程功戒畏難。從容施孔鐸，循序讀周官。（第三聯、第四聯）	第玖冊，頁117～118
32	同上	佳士如香固可薰（五言十六句長律）	德以馨為貴，情因淡益彰。芝蘭初入室，桃李快稱觴。（第五聯、第六聯）	第玖冊，頁118
33	同上	安危須仗出群才（五言十六句長律）	驥德誠難匹，龍韜乃奏勳。心惟扶社稷，志即壯風雲。（第三聯、第四聯）	第玖冊，頁119。
34	陳肇興	雜詩二首之二（五言十四句古詩）	曹寺分水火，朝堂生荊棘。既樹君子仇，仍尋古人隙。（第三聯、第四聯）	第玖冊，頁266
35	同上	賴氏莊五首之四（五律）	主人能好學，稚子不偷閒。竹下挑燈飲，花前出畫看。（第二聯、第三聯）	第玖冊，頁206
36	同上	書齋偶興四首之一（七律）	餬口祇憑三寸舌，問心猶欠十年鐙。詩情漸減緣租吏，世事粗嘗畏友朋。（第二聯、第三聯）	第玖冊，頁232
37	同上	書齋偶興四首之二（七律）	揮毫直掃千人陣，握管俄開五色花。漫道時文非載道，須知小技亦名家。（第二聯、第三聯）	第玖冊，頁232
38	同上	書齋偶興四首之三（七律）	詩禮重溫文義出，門庭漸廣是非多。裁紅暈碧春無耐，淺酌低斟興若何。（第二聯、第三聯）	第玖冊，頁232
39	許南英	癸卯鄉闈分房襄校和同鄉虞和甫鎖院述懷原韻二首之二（七律）	但使霸才能富國，且同文士策籌邊。蟾宮組織登科記，羊石搜求避世賢。（第二聯、第三聯）	第拾壹冊，頁227

註：以下表列主要以《全臺詩》為資料來源，故如果沒有特別說明者，書名將不再重複。

　　由以上對偶句的例子來看，吾人發現臺灣本土儒師在詩歌對偶的藝術技巧運用上，其功力之深厚，與宦臺學官相較實不遑多讓。

（二）本土儒師儒學詩小結

　　本論文筆者總共例舉臺灣本土 11 位儒師之 98 首儒學詩，在這 98 首詩作中，吾人若由詩體方面作分析，將會發現他們的近體詩多於古體詩，其中七絕最多，七律次之，而最值得注意的是長律總數多達 16 首，長古也有 5 首之多。若吾人單就詩體這一方面來說，那麼臺灣本土儒師，似乎比宦臺儒官更擅長於創作長篇大幅的儒學詩。

　　再若由格律方面作分析，則吾人會發現，臺灣本土儒師在詩歌格律運用上，與宦臺學官一樣，皆能遵守格律規定，鑄詞造句信手拈來而不出格。

　　另外若再由用典方面作分析，則吾人亦會發現，臺灣本土儒師之儒學詩，用典雖然也不是很多，但是和宦臺儒官儒學詩之用典一樣，典故出處也是遍及經、史、子、集，而且多能巧妙地加以鎔鑄變化。

　　最後若再由對偶方面作分析，則吾人亦會發現，臺灣本土儒師在詩歌對偶的藝術技巧運用上，其功力之深厚，實與宦臺學官不遑多讓。

　　總此以上而言，臺灣本土儒師之儒學詩，無論是詩體、格律、典故或對偶等各方面，其創作之藝術技巧運用，一點都不遜色於宦臺儒官，可說是與宦臺儒官不分軒輊、並駕齊驅。而至此，吾人也終於明白，陳璸、夏之芳、張湄、楊開鼎、徐宗幹等人，為何在他們的試牘序中，總是對臺灣本土士子讚許有加，原來是其來有自，而臺灣本土士子也是當之無愧的。

第七章 結 論

　　清代宦臺儒官被清廷調派來臺之後，無論是提督學政、地方行政首長，或是學官，他們在各自所負責職掌下，開始施行儒學教育之工作。提督學政或興建學校、或督察學政、或巡視全臺教化情形；地方行政首長也是或興建學校、或教導士子、或勗勉教師、或巡視轄域教化情形；學官則是或在學校課生員、或巡社課番童。

　　而在這當中，由於當時清廷教育政策良窳問題、臺灣社會環境問題、學生本身素質問題，再加上宦臺儒官本身之性格特質問題，使得當時在臺灣施行儒學教育頗具高難度。也因此當時調派來臺負責儒學教育相關工作之儒官，有的意興闌珊，只照章行事等待三年瓜代任滿；有的雖認真執行工作，卻自覺滿腹委屈，抱怨不斷；不過除這些少數者外，其實其餘大多數宦臺儒官都滿懷抱負，以教化臺灣為己任，竭盡所能恪盡職守，捐貲助學，嘉惠士子。這些恪盡職守之宦臺儒官，雖然有時不免以上國習氣看待臺灣百姓，但是他們確實極為努力地想將孔、孟、程、朱之儒學傳統，傳播在臺灣士子身上，以達到教化臺灣全民之目的。

　　如此經過 212 年清廷以儒學教導之結果，臺灣不僅士子受到深刻影響，思想與行事風格都明顯儒化；一般庶民也因漢化關係，生活方式、風教禮俗也與中國內地相近。直到光緒二十一年乙未（1895），中日簽訂馬關條約，臺灣割讓給日本，開始全面接受新式教育，臺灣儒學教育才被迫停止。然而這並不代表儒學在臺灣之影響就此結束，相反的，由清代儒學教育所延伸出來之儒學思想、詩歌理論，儒學風教，一方面在日治時期繼續發揮它的影響力，成為臺灣人在對抗日本統治壓力時，一股慰藉人心之精神支撐力量；另方面

由於受到日本新式教育影響，原本久已顯預僵化之臺灣儒學教育，開始被提出檢視省察，在被注入新文化元素後，重新展現新面貌，發揮新影響力。直到現在，臺灣人仍然受到儒學思想影響，不管是學校教育、社會教育，或是家庭教育中，大家所被教導的，其實都以儒學教育爲主。

以下筆者僅就與本論文儒學詩相關之詩歌理論作分析，並且由「講究詩作之藝術表現」和「成爲維繫漢族文化命派之一線希望」兩方面，來結論清代臺灣儒學詩對日據時代臺灣漢詩，以及臺灣人之重大影響。

一、講究詩作之藝術表現

筆者所謂清代臺灣儒學詩對日據時代臺灣漢詩之影響，並非指詩作之內容而言，因爲事實上到了日據時代，臺灣已沒有清廷調派來臺之宦臺儒官，也沒有府縣廳儒學，當然學校中也沒有以中國傳統儒學爲唯一課程之儒學教育或科舉取士之事；反而代之而起的是日本臺灣總督府以「注重教養『國民』精神，以日語爲教育之中心，對本省青年，施予同化之教育」〔註1〕的公學校。在此情況下，清領時期臺灣詩作中那些由宦臺儒官、臺灣本土儒師所創作，表現儒學思想、敘述儒學教育、發抒教育感懷之詩作，也就是本論文題旨之所謂「儒學詩」，到日據時代之後銷聲匿跡本來也是理所當然之事。不過儘管如此，從清領時期延續下來的「文以明道」儒家文學觀，以及重視詩作藝術技巧之觀念，則被許多日據時代之臺灣文人所繼承。

今筆者爲明白其中之繼承情形，試以舉例方式，列舉三家詩話中之相關詩論以證之。

（一）吳德功

吳德功，彰化人。生於清道光三十年（1850），距離日本割臺（1895）有45年，自幼即習儒學，應童試及格，入縣儒學爲生員，同治十三年（1874），25歲時補上廩生，有資格領取公家之糧米津貼，可見他在縣儒學之學業成績優異。雖然曾經七度遠赴福州應鄉試皆不中，但是也因此更磨勵出他深厚之儒學底子。而由他的《瑞桃齋詩話》，吾人亦可看出清代儒家文學觀對他詩學理論之影響。

〔註1〕 見李汝和主修：《臺灣省通志・第四章日據時代之教育制度・第一節教育行政與教育政策》，頁70。

有關於吳德功之詩學理論，吾人由他的《瑞桃齋詩話》中，可得知其一、二。他引吳自道之言：「作詩先命意。如構宮室，必須間架形勢已備於胸中，始施斧斤。立意卑凡，則眞情愈遠。」〔註2〕吳德功在此，藉吳自道之言，認爲作詩之前必先立意，而且立意要高而不凡，如此情感才能眞切。

又引皇甫汸之言：「語欲妥貼，故字必推敲。蓋一字之瑕足以爲玷，片語之累并棄其餘。此劉勰所謂改章難以造篇，亦字難於代句者也。」〔註3〕吳德功在此，藉皇甫汸之言，表達他對詩作字句推敲之講究。

又談到五言與七言古詩之平仄聲調問題，他說：「嘗考五言古……。須用筆矯健，最忌軟俗。雖句法音節如看海上烟波，超然變化，其實原有一定。但平仄屈拗不順乎律，非不拘平仄也。作者握定關捩，將每樣聲調句法參差用之，則矯健而古，超忽而變幻矣。即漢魏諸公、杜韓兩老，無有出乎此者。不拘對偶。兩句一聯中，斷不得與律詩相亂也。七言古同。韻或兩句一轉、四句一轉、六句一轉、八句一轉、或一韻到底。不論平仄，隨人變換。」〔註4〕由此段話，吾人亦知道吳德功對聲律之講究，甚至連平仄用韻都較自由之古體詩，也論述到如此仔細地步，那麼近體詩也就不必多言矣。

（二）洪棄生

洪棄生，彰化鹿港人。原籍福建省南安縣，其曾祖流寓臺灣鹿港，遂家焉。生於清同治六年（1867），距離日本割臺（1895）有 28 年，幼攻舉業，嘗就讀於書塾及白沙書院，每遇觀風，試輒冠羣。光緒十七年（1891），以案首入泮，爲縣儒學生員，後來曾任職書院爲講席。其次子洪炎秋說其父「割臺後絕意仕進，不再內渡赴試，遂潛心於詩、古文辭，爲淪陷後臺灣國學界之魯靈光殿。」又說其父「身居棄地，危言危行，扢揚風雅，鼓舞民氣，不爲威屈，不爲利誘，以遺民終其生。臺灣淪陷凡五十年，民族精神迄未泯滅，祖國文化尚能延續者，先父預有力焉。」〔註5〕洪氏自幼接受儒學教育、詩歌訓練，故其詩學理論亦明顯表現出重視詩歌藝術技巧之觀念。

〔註2〕 見吳德功作，江寶釵校註：《瑞桃齋校註》，臺北：國立編譯館主編，麗文文化事業出版，2009 年（民98），頁 81。以下本論文各章所引用此書皆爲同一版本，不再贅敍出版地、出版社與出版年。
〔註3〕 見同上，頁 82。
〔註4〕 見同上，頁 65～66。
〔註5〕 見洪棄生撰，胥端甫編輯：《洪棄生先生遺書（一）·先父洪棄生先生傳略》，內頁 2～3。

洪棄生在《寄鶴齋詩話‧卷一》中追法古人，認爲作詩除了要有「才」之外，還必須根柢於古學，他說：「學三百篇、學離騷，皆當寢饋於平時，而下筆時則不容絲毫著意，當以無心自然得之，乃能有合。不然雖賈長沙、班孟堅、韓文公亦不免無味。」〔註6〕洪氏以「學三百篇、學離騷」，作爲平時寢饋之作詩根柢，顯然是受清代重儒家文學觀之影響。而他的「絲毫不著意」、「自然」作詩方法，雖然讓人乍看之下，以爲他不重視詩歌形式之修辭藝術技巧，其實並非如此，因爲他又說：「五律不鍊或傷骨，過鍊則傷氣。孟浩然浩浩落落之作，有反高於杜老者，即孟集「木落雁南渡」一詩，……」。〔註7〕在洪氏認爲中，孟浩然的五律「木落雁南渡」一詩，〔註8〕勝出「爲人性僻耽佳句，語不驚人死不休」的杜甫，因爲此詩能適當鍛鍊字句。由此，吾人可見洪氏講究詩作藝術技巧之一斑。

（三）王　松

王松，新竹人。生於清同治五年（1866），距離日本割臺（1895）有 29 年，雖然在《臺陽詩話‧邱序》中，邱菽園說王松「奇氣虎虎，狂志嘐嘐，讀書即以經世爲務，窮究博覽於中外之籍，獨不喜爲帖括家言。暇則登山涉水，賦詩飲酒自樂而已。」〔註9〕不過王松雖然不喜爲帖括家言，但他受過科舉考試專用的試帖詩訓練則是事實，試帖詩之標準格式是五言八韻唐律，此種試帖詩對「諧聲比律」〔註10〕非常重視，只要「一字不叶，則前功盡棄」〔註11〕。吾人看到王松在《臺陽詩話》中，表現自己對詩作形式之重視與講究，可以想像他還是受試帖詩之影響，清代儒家文學觀對他還是影響頗深。

王松也是主張追法古人，他在《臺陽詩話》中，轉錄《樵隱詩話》數則以見與古人同好，其中有言「詩律最細，其大旨可一言以蔽之曰：參差不同而已。其押韻也則虛實相間，其用意也則情景相間，其造句也則倒裝、懸針

〔註6〕　見洪棄生著，胥端甫編輯：《洪棄生先生遺書（四）‧詩文類‧寄鶴齋詩話‧總述各代‧卷一》，臺北：成文出版社，1970 年（民 59），頁 18，（《洪棄生先生遺書》全書總頁碼 1460）。以下本論文各章所引用此書皆爲同一版本，不再贅敘出版地、出版社與出版年。

〔註7〕　見同上，〈卷五〉，頁 20，（《洪棄生先生遺書》全書總頁碼 1740）。

〔註8〕　孟浩然此詩全文爲〈早寒有懷〉：「木落雁南渡，北風江上寒。我家襄水曲，遙隔楚雲端。鄉淚客中盡，孤帆天際看。迷津欲有問，平海夕漫漫。」

〔註9〕　見王松：《臺陽詩話》，臺灣文獻叢刊第三四種，頁 5。

〔註10〕　見本論文第六章覺羅四明之〈勘定海東書院學規〉。

〔註11〕　見本論文第六章林豪之〈續擬學約八條〉。

等法相間，其用字也則天文、地理、草木、禽獸等字相間。知參差之道，則於詩學思過半矣。作文之法，亦不外是。」又言「詩以氣壯爲上，局勢次之，詞華又次之，對仗雖工，落下乘矣。」又言「詩貴於鍊，鍊格爲上，鍊句次之，鍊字爲下，不知鍊則不足言詩矣。」又言「詩不可不師古，而不可專師古。……」〔註12〕對於王松之以上引《樵隱詩話》之言，龔師顯宗說：「由上引四則來看，王氏認爲創作要注意詩律、押韻、用意、造句、用字皆不可忽。須師古循法，卻又不可一味擬古，死守繩墨。因此，創作固不可不講究鍛字鍊句，但這是末節，更重要的是『鍊格』。」〔註13〕

　　以上吳德功、洪棄生、王松三人，都是生於清末而歷經日本統治之臺灣本土文人。他們進入日據時代後，雖然受到日本近代教育衝擊，但仍然固守對漢詩重視形式格律之修辭藝術技巧的堅持。

　　而至於生於更後來之光緒年間，或是生於日據時代之臺灣文人，他們有的也講究詩作之形式格律，利用擊鉢或聯吟方式，互相較勁詩作之修辭藝術技巧。這類詩作，雖然因爲過於注重形式、缺乏情感，使得詩歌美感盡失而飽受批評，也因此引發許多人羣起反對漢詩、漢文，甚至發動臺灣新文學運動來加以抵抗，譬如楊逵、吳濁流等人便是。但其實這些參加擊鉢或聯吟活動的臺灣文人，他們之中也有雖然反對擊鉢或聯吟，卻仍舊參加活動甚或主持活動者，譬如連橫等人便是。而連氏等人之所以既反對又提倡的原因，乃在於他們將漢詩以及擊鉢或聯吟活動，視爲在日本同化、皇民化殖民政策下，臺灣人唯一能維繫漢族文化命脈之一線希望。

二、漢詩成爲維繫漢族文化命脈之一線希望

　　在本論文第六章，筆者已述及，清代文學觀屬於儒家文學觀，融合了北宋以前儒家「文以明道」文學觀，以及兩宋理學家「文以載道」文學觀，在詩作形式上，講究修辭藝術技巧，在詩作內涵上重視「文以明道」儒家精神表現。不但宦臺儒官如此，深受儒學教育影響之臺灣本土儒師也是這樣，這個情形吾人在徐宗幹、林豪、章甫、鄭用錫等人之詩論中都已得到證明。

〔註12〕見王松：《臺陽詩話》，臺灣文獻叢刊第三四種，臺北：臺銀經研室，1959年（民48），頁21～22。以下本論文各章所引用此書皆爲同一版本，不再贅敍出版地、出版社與出版年。

〔註13〕見龔師顯宗：《臺灣文學研究·臺陽詩話初探》，臺北：五南圖書公司，1998年（民87），頁149。

至於到了日據時代，這些同時講究詩作形式與儒家精神表現之文學觀，發揮了它的影響力，繼續被吳德功等臺灣文人們傳承著，以上筆者均已述諸於前。現在筆者再試由「成爲維繫漢族文化命派之一線希望」這一方面，來結論漢詩對臺灣人之影響。

爲此，筆者亦以舉例方式，列舉日據時代數家詩話，以及《詩報》爲例，說明漢詩對日據時代漢人之影響情形。以下筆者分由三個角度作觀察：一爲「以儒家詩教爲依歸」，二爲「藉詞婉而意隱之詩，發揚愛國情緒」，三爲「藉作漢詩培養忠孝之風，挽瀕亡之文字」。

（一）以儒家詩教為依歸

日據時期之臺灣文人，因爲漢詩具有儒家精神表現而重視之、繼承之。日據時代臺灣詩話盛行，據謝崇耀統計，從推測是 1897 年以後出版之吳德功《瑞陶齋詩話》開始，到 1934 年古董先生《萬善同歸詩話》爲止，時間長達 37 年，總共有 40 種。這些詩話之出版者有自行出版，也有透過報章雜誌，譬如《漢文臺灣日日新報》、《臺灣文藝叢誌》、《鯤洋文藝粹編》、《臺灣詩報》、《臺灣詩薈》、《詩報》、《風月報》、《三六九小報》等出版。〔註 14〕這些詩話之創作動機不一，篇幅長短不同，然重視儒家詩教之批評觀，以及強調詩作修辭藝術價值之論述則頗爲一致。

譬如王松在《臺陽詩話》中說：「詩之爲道，可以知人心之邪正、風俗之厚薄、時政之得失、國家之盛衰，頌揚譏刺，在所不廢、聞之者知儆，言之者無罪，故古有輶軒采風之制，然詩以溫柔敦厚爲主，其頌之也勗其加勉，其刺之也望其速改，詞雖殊而存心則一。」〔註 15〕王松強調，詩作之作用，在能以溫柔敦厚之文辭頌揚譏刺，使被頌揚者得到勗勉，被譏刺者快速改過。

又譬如許天奎在《鐵峯山房唱和集·鐵峯詩話》中說：「孔子曰：『《詩三百》一言以蔽之，曰：《詩》無邪』夫在心爲志，發言爲詩，情動於中，而形於言，其正常少，其邪常多，此孔子所引以爲戒也。溫李之詩傷於刻薄，以爲之邪，似無不可；杜韓之詩，讀之使人生畏敬之心，謂之思無邪，其庶幾乎。」〔註 16〕許天奎也強調，詩之爲詩，最可貴者在能表現詩無邪。若傷於

〔註 14〕見謝崇耀：《日治時期臺灣詩話比較研究》，國立彰化師範大學國文研究所碩士論文，2005 年（民 94），頁 3～5。

〔註 15〕見王松：《臺陽詩話》，臺灣文獻叢刊第三四種，頁 14。

〔註 16〕見許天奎：《鐵峯山房唱和集·鐵峯詩話》，臺灣先賢詩文集彙刊，第六輯 6，

刻薄，則是邪詩；若讓人讀之生畏敬之心，則是詩無邪。

又譬如洪棄生在《寄鶴齋詩話》中說：「宋之問諂附張易之兄弟，至爲躬奉溺器，創千古文士所未有之猥賤，此種人若爲李太白脫靴，終當被踢卻鸚鵡洲外耳；而最壞天良者，尤莫如上變告張仲之一事，負心負德，賣友賣國，眞狗彘之不若，予每讀其〈晨登歇馬嶺遙望伏牛山〉一詩，輒閉目不敢終篇，蓋恐其以佳詩移我嫉惡夙心也。」〔註17〕在此吾人看到洪棄生，則不僅是以詩論詩而已，而且是以人廢言，若此人行徑卑劣，則其詩作再好也不值得一看。

由以上三段資料，吾人知道許天奎、王松以及洪棄生三人，都是以儒家詩教精神爲依歸，評論詩作之好壞。

（二）藉詞婉而意隱之詩，發揚愛國情緒

詩社在日據時代的臺灣可謂盛極一時，自櫟社、南社創立，以及瀛社繼起之後，詩社林立，詩人輩出。每月定期擬題拈韻，擊鉢敲詩。

王雲五在民國58年《瀛社創立六十週年紀念集·序一》中說，臺灣詩社爲數之多，其原因有二：一爲臺灣文風所致，因爲臺灣居民大都來自閩粵，而閩粵自明末以來文風轉盛，吟詠特多；二爲臺灣自甲午戰敗，臺灣被迫割讓後，「文人志士藉詞婉而意隱之詩，以發揚愛國情緒者自多，詩社有結合同志而共鳴之效，用此所以特多於日據時代也。」又說，爲何瀛社之成員除了大多數爲臺灣人外，亦不乏治臺日人，其原因就臺灣人這方面來說，乃是取法中國歷代經驗，當異族入主中原統治漢人，漢人無不用漢文化將異族同化，他說：「瀛社發起諸君子不反對日人加入者，無非欲對以武力占領臺島者，轉而爲中華文化所控制。」〔註18〕

（三）藉作漢詩培養忠孝之風，維繫漢族文化命脈

黃洪炎在《瀛海詩集·自序》中說：「試觀吾臺詩界，各處詩社林立，數至百餘，動輒開擊鉢吟會，大而全島聯吟，或州下聯吟，小而各社之小會、例會，幾乎指不勝屈。我臺文運不絕如縷，能延一綫者賴有此耳。」〔註19〕

臺北：龍文出版社，2009年（民98），頁51。
〔註17〕見洪棄生撰，胥端甫編輯：《洪棄生先生遺書（四）·分述各家·卷四》，頁16，（《洪棄生先生遺書》全書總頁碼1672）。
〔註18〕見李建興：《瀛社創立六十週年紀念集》，臺北：瀛社創立六十週年紀念集編輯委員會，1969年（民58），頁1～2。
〔註19〕見黃洪炎：《瀛海詩集》，臺灣先賢詩文集彙刊，第五輯5.6，臺北：龍文出版社，2006年（民95），頁4。此詩集所收之詩人有400餘名，古近體詩共有

　　黃永沛也在《瀛海詩集‧序》文中說：「自孔子之說而後，說詩者雖時忽乎忠孝之道，而忠孝之道存乎期間，此三百篇之所由貴，人倫綱常之所由立，詩之爲詩，固自有激勵之價值，而況其足以濟瀕亡之文字也乎。方今萬事方從新體制，顧安得有心人出爲提倡，俾以國語爲漢詩之吟，如我國之古武士然也，一則可以振興精神培養忠孝之風，一則可以挽瀕亡之文字，而爲補習國語之資，是亦激勵之一法，一舉而數得者也」〔註 20〕由此吾人可見在日據時代，當時日人不斷在臺灣用同化、皇民化方式，欲消滅漢字、漢語之存亡時刻，詩社之活動成了挽救漢字、漢語之一個重要對抗法。

　　以同樣角度而看重漢詩，賴子清在《臺灣詩醇‧自序》中也說：「三百年來，我臺文物昌明，人材蔚起，滄桑後詩學勃興，輓〔註 21〕近漢學式微，端賴韻學以延一綫。」〔註 22〕

　　而也就是基於大多數人對漢詩具有維繫漢族文化命脈之一線希望的共識，因此當時一份凝聚大家共識，爲此出錢出力在所不惜的《詩報》於焉產生。此份《詩報》發刊於昭和五年（1930），停刊於昭和十九年（1944），總共發行 14 年，成爲日據時代臺灣漢字文藝雜誌之最長壽者。其發行之初距離割臺已有 35 年，停刊時距離割臺已有 49 年。中間歷經了日本殖民臺灣，除了武力鎮暴時期（1895～1919）之外的同化時期（1919～1937），和皇民化時期（1937～1945）。在這 14 年過程中，吾人若仔細翻閱其中內容，便可發現兩個現象，一是隨著日本統治臺灣時間越來越久，《詩報》中的同化與皇民化色彩也越來越明顯，隨處可見日人插手痕跡；二是臺灣漢人在此報社存廢之際，發行人仍然堅定不放棄，費盡苦心硬撐下去，爲的便是欲維繫漢族文化命脈於一線。

　　因此魏潤庵在〈詩報發刊詞〉中說：「改隸以還，臺灣漢學之所以維持者，爲詩；道德所賴以維持幾分者，亦惟詩。今人恆謂漢學不如西學，顧談者其人大都不知漢學，亦不甚解西學。」又說：「抑改隸以還，臺灣詩界之漸盛，別非出於在上者之獎勵，良由漢詩爲物，有至味存，天下之口，嗜好同似。

3000 多首。
〔註20〕見同上，頁 3。
〔註21〕此「輓」字，筆者疑是「晚」之錯字。
〔註22〕見賴子清：《臺灣詩醇前編‧自序》，臺灣先賢詩文集彙刊，第五輯 2，臺北：龍文出版社，2006 年（民 95），頁 3。此詩集所收之詩人有 692 名，古近體詩共有 1500 首。

決不因洋茱館之盛行，遂廢中國料理山海珍錯〔註 23〕，同時得以保存我黃種人自昔發達之燦爛文化精華。然後進而廣採世界大同智識，或描寫科學及今日複雜社會之實際，庶幾於舊文學中，嶄然新開蹊徑，又不至一味盲從，甘寄身於西人籬下，爲其奴僕，反自命爲豪傑之士，而不自知。」〔註 24〕

又尤人鳳在〈詩報百期祝辭〉中說：「溯自滄海栽桑，歐風美雨東漸以來，異端邪教日逞猛威，斯文欲墜，大雅將亡，《詩報》宗旨雖僅爲騷壇倡和，互通聲氣之一事，然其寓有鼓舞詩學之底力，固爲吾人所共鑑也。夫詩爲斯文之一，詩學既興，斯文或不至於淪胥，一線曙光其在《詩報》之昌。厥後乎是則謂爲視《詩報》之壽命，可徵斯文之盛衰，亦非過言。」〔註 25〕

又李碩卿在〈祝詩報發刊十週年〉中說：「自創刊茬再十載，中間替代三人，皆以報代零碎，鳩集爲艱，經費難持，入不供出，遂致斷而復續者再。吁六義精微，已同敝箒，覆瓿文章，僅存一線。若非現營之張君，苦心孤詣，竭力維持，精神物質，兩爲犧牲，則廢刊已久，安有今日之按期頒發，使耽吟詠樂風雅者，尚得於紙面互通聲氣耶。」〔註 26〕

總結本論文，筆者認爲清廷在臺灣施行儒學教育，將儒學思想輸入臺灣，並成爲儒學風教以教化百姓，有功也有過，其功在使臺灣因此步入知識文明時代；而其過則是在教化過程中，無視臺灣多元種族之差異性，完全用儒學思想加諸在不同種族身上，致使雖然表面上臺灣人民都漢化了，無論生活型態、行爲表現，或是思想模式，皆成爲與漢族相同之複製品，然而清廷孰知此種教化方式，實是消滅了臺灣不同種族之多元文化特色，殊爲可惜。

而至於清代臺灣儒學詩，實有它的歷史價值與文學價值。其歷史價值，在於它眞實反映當時清廷在臺灣施行儒學教化之過程與樣貌，而有俾補史料空缺之貢獻。而其文學價值，則是因爲當時創作這些詩歌者，無論是宦臺儒官，或是臺灣本土儒師，皆是一時之精英，故這些儒學詩，無論是講究聲韻格律、修辭藝術技巧之詩作形式，或是表現儒家精神之詩作內涵，都有示範與引領作用，不但教育了當時清代臺灣本土士子，後來也維繫了日據時代在異族統治下，對未來尚抱持著一線希望之萬萬千千臺灣人民的心。

〔註 23〕此「錯」字，筆者懷疑可能應該是「饌」字。
〔註 24〕見《詩報・昭和五年十月三十日，創刊號・（二）》，臺北：龍文出版社，2007年（民 96）。
〔註 25〕見同上，《詩報・昭和十年三月一日，第一百號・（十六）》。
〔註 26〕見同上，《詩報・昭和十六年一月一日，第二三九號・（二二）》。

參考書目

一、臺灣文獻（依作者姓氏筆劃順序排列）

1. 不著編人：《詩報：日治時期臺灣傳統文學大成（1930～1944）》27 冊，臺北：龍文出版社，2007 年。

2. 不著編人：《清史稿臺灣資料集輯》，臺灣文獻叢刊第二四三種，臺北：臺銀經研室，1994 年。

3. 不著編人：《清耆獻類徵選編》，臺灣文獻叢刊第二三〇種，臺北：臺銀經研室，1967 年。

4. 丁曰健：《治臺必告錄》，臺灣文獻叢刊第一七種，臺北：臺銀經研室，1959 年。

5. 丁宗洛：《陳清端公年譜》，臺灣文獻叢刊第二〇七種，臺北：臺銀經研室，1964 年。

6. 六十七：《番社采風圖考》，臺灣文獻叢刊第九〇種，臺北：臺銀經研室，1961 年。

7. 王松：《臺陽詩話》，臺灣文獻叢刊第三四種，臺北：臺銀經研室，1959 年。

8. 王必昌：《重修臺灣縣志》，臺灣文獻叢刊第一一三種，臺北：臺銀經研室，1961 年。

9. 王瑛曾：《重修鳳山縣志》，臺灣文獻叢刊第一四六種，臺北：臺銀經研室，1962 年。

10. 吳大廷：《小酉腴山館主人自著年譜》，臺灣文獻叢刊第二九七種，臺北：臺銀經研室，1971 年。

11. 余文儀：《續修臺灣府志》，臺灣文獻叢刊第一一三種，臺北：臺銀經研室，1961 年。

12. 林豪:《澎湖廳志》,臺灣文獻叢刊第一六四種,臺北:臺銀經研室,1963年。

13. 林棲鳳:《臺灣采訪冊》,臺灣文獻叢刊第五五種,臺北:臺銀經研室,1960年。

14. 周璽:《彰化縣志》,臺灣文獻叢刊第一五六種,臺北:臺銀經研室,1962年。

15. 周元文:《重修臺灣府志》,臺灣文獻叢刊第六六種,臺北:臺銀經研室,1960年。

16. 周鍾瑄:《諸羅縣志》,臺灣文獻叢刊第一四一種,臺北:臺銀經研室,1962年。

17. 施士洁:《後蘇龕合集》,臺灣文獻叢刊第二一五種,臺北:臺銀經研室,1965年。

18. 徐宗幹:《斯未信齋文編》,臺灣文獻叢刊第八七種,臺北:臺銀經研室,1960年。

19. 高拱乾:《臺灣府志》,臺灣文獻叢刊第六五種,臺北:臺銀經研室,1960年。

20. 陳璸:《陳清端公文選》,臺灣文獻叢刊第一一六種,臺北:臺銀經研室,1661年。

21. 陳文達:《臺灣縣志》,臺灣文獻叢刊第一〇三種,臺北:臺銀經研室,1961年。

22. 陳淑均:《噶瑪蘭廳志》,臺灣文獻叢刊第一六〇種,臺北:臺銀經研室,1963年。

23. 陳培桂:《淡水廳志》,臺灣文獻叢刊第一七二種,臺北:臺銀經研室,1963年。

24. 陳肇興:《陶村詩稿》,臺灣文獻叢刊第一四四種,臺北:臺銀經研室,1962年。

25. 章甫:《半崧集簡編》,臺灣文獻叢刊第二〇一種,臺北:臺銀經研室,1964年。

26. 許南英:《窺園留草》,臺灣文獻叢刊第一四七種,臺北:臺銀經研室,1962年。

27. 屠繼善:《恆春縣志》,臺灣文獻叢刊第七五種,臺北:臺銀經研室,1960年。

28. 劉良璧:《重修福建臺灣府志》,臺灣文獻叢刊第七四種,臺北:臺銀經研室,1961年。

29. 劉家謀:《赤嵌集》,臺灣文獻叢刊第一〇種,臺北:臺銀經研室,1958年。

30. 劉銘傳：《劉壯肅公奏議》，臺灣文獻叢刊第二七種，臺北：臺銀經研室，1958 年。

31. 鄭鵬雲：《新竹縣志初稿》，臺灣文獻叢刊第六一種，臺北：臺銀經研室，1959 年。

32. 盧德嘉：《鳳山縣采訪冊》，臺灣文獻叢刊第七三種，臺北：臺銀經研究室，1960 年。

33. 諸家：《清耆獻類徵選編》，臺灣文獻叢刊第二三○種，臺北：臺銀經研究室，1967 年。

34. 謝金鑾：《續修臺灣縣志》，臺灣文獻叢刊第一四○種，臺北：臺銀經研室，1962 年。

二、專　書（依作者姓氏筆劃順序排列）

1. 不著編人：《文宗顯皇帝實錄》：臺北：臺灣華文出版社，1970 年。

2. 不著編人：《學政全書》，史料六編，臺北：廣文書局，1974 年。

3. 不著編人：《臺南縣志》，臺南縣新營鎮：臺南縣政府，1980 年。

4. 不著編人：《欽定大清會典》，臺北：臺灣商務印書館，1983 年。

5. 不著編人：《臺灣輿地彙鈔》，臺灣文獻史料叢刊，臺北：大通出版社，1984 年。

6. 不著編人：《李延平集》，叢書集成初編，北京中華書局，1985 年。

7. 不著編人：《清史稿校註》，臺北縣：國史館，1986 年。

8. 不著編人：《景印文淵閣四庫全書》，臺北：臺灣商務印書館，1983～1986 年。

9. 不著編人：《臺灣南部碑文集成》，臺灣文獻史料叢刊，臺北：大通出版社，1987 年。

10. 不著編人：《臺灣教育碑記》，臺灣文獻史料叢刊，臺北：大通出版社，1987 年。

11. 不著編人：《續修四庫全書》，續修四庫全書編輯委員會編，上海市：古籍出版社，1995 年。

12. 不著編人：《欽定大清會典事例》，續修四庫全書編輯委員會編，上海市：古籍出版社，1995 年。

13. 不著編人：《欽定四庫全書》，臺北：藝文印書館，1997 年。

14. 不著編人：《全唐詩》，北京市：中華書局，1999 年。

15. 王運熙、顧易生：《中國文學批評史》，臺北：五南出版社，1993 年。

16. 王德毅：《叢書集成續編》，臺北：新文豐出版公司，1989 年。

17. 王靜芝：《詩經通釋》，臺北：輔仁大學文學院，1977 年。

18. 尹章義：《臺灣開發史研究》，臺北：聯經出版社，1989 年。

19. 司馬遷：《史記》，臺北：文馨出版社，1975 年。

20. 朱熹：《朱子語類》，臺北：正中書局，1882 年。

21. 朱仕玠：《小琉球漫誌》，臺中：文听閣圖書，2007 年。

22. 成九田、路燈照：《古詩文修辭例話》，臺北：臺灣商務印書館，1987 年。

23. 吳怡：《中國哲學發展史》，臺北：三民書局，1984 年。

24. 吳大廷：《東瀛訓士訓民錄》，臺北：國立中央圖書館臺灣分館縮影資料，臺灣分館攝製，1920 年。

25. 吳宏一：《清代詩學初探》，臺北：臺灣學生書局，1985 年。

26. 吳德功著，江寶釵校註：《瑞桃齋詩話校註》，國立編譯館主編，高雄：麗文文化事業公司，2009 年。

27. 李汝和：《臺灣省通志》，臺北：臺灣省文獻委員會，1969 年。

28. 李建興：《瀛社創立六十週年紀念集》，臺北：瀛社創立六十週年紀念集編輯委員會，1969 年。

29. 李望洋：《西行吟草》，臺灣先賢詩文集彙刊，第二輯 4，臺北：龍文出版社，1992 年。

30. 李逢時：《泰階詩稿》，臺灣先賢詩文集彙刊，第三輯 8，臺北：龍文出版社，2001 年。

31. 杜正勝：《中國文化史》，臺北：三民書局，2004 年。

32. 林慶彰：《日據時期臺灣儒學參考文獻》（上下冊），臺北：學生書局，2000 年。

33. 范曄：《後漢書》，臺北：鼎文書局，1987 年。

34. 施士洁：《後蘇龕合集》，臺灣先賢詩文集彙刊，第一輯 5.6，臺北：龍文出版社，1992 年。

35. 施瓊芳：《石蘭山館遺稿》，臺灣先賢詩文集彙刊，第一輯 1.2.3，臺北：龍文出版社，1992 年。

36. 施懿琳：《全臺詩》第壹冊至第伍冊，臺北：遠流出版公司，2004 年。

37. 施懿琳：《全臺詩》第陸冊至第拾貳冊，臺南：臺灣文學館，2008 年。

38. 洪棄生著，胥端甫編輯：《洪棄生先生遺書》，臺北：成文出版社，1970 年。

39. 洪素香：《杜甫出夔後行旅與詩歌研究》，臺南：復文興業公司，2003 年。

40. 胡萬川：《彰化縣民間文學集》，彰化市：彰縣文化局，2004 年。

41. 徐宗幹：《瀛洲校士錄》，臺北：國立中央圖書館臺灣分館珍藏。

42. 唐華:《中國原儒哲學思想史》,臺北:集文書局,1979 年。

43. 華文軒:《古典文學研究資料彙編》,北京:中華書局,1982 年。

44. 莊金德:《清代臺灣教育史料彙編》,臺中:臺灣文獻委員會,1973 年。

45. 許天奎:《鐵峯山房唱和集‧鐵峯詩話》,臺北:臺灣先賢詩文集彙刊,第六輯 6,臺北:龍文出版社,2009 年。

46. 許南英:《窺園留草》,臺灣先賢詩文集彙刊,第一輯 7,臺北:龍文出版社,1992 年。

47. 陳名實:《閩台儒學源流》,福州市:福建人民出版社,2008 年。

48. 陳昭瑛:《臺灣儒學起源、發展與轉化》,臺北:正中書局,2000 年。

49. 陳榮捷:《新儒學論集》,臺北:中研院文哲所,1995 年。

50. 陳維英:《太古巢聯集》,臺灣先賢詩文集彙刊,第四輯 1,臺北:龍文出版社,2006 年。

51. 陳肇興:《陶村詩稿》,臺灣先賢詩文集彙刊,第一輯 4,臺北:龍文出版社,1992 年。

52. 章甫:《半崧集簡編》,臺灣歷史文獻叢刊,南投:臺灣省文獻委員會,1894 年。

53. 黃永武:《中國詩學設計篇》,臺北:巨流圖書公司,1982 年。

54. 黃叔璥:《臺海使槎錄》,臺灣文獻史料叢刊,臺北:大通出版社,1984 年。

55. 黃洪炎:《瀛海詩集》,臺北:臺灣先賢詩文集彙刊,第五輯 5.6,臺北:龍文出版社,2006 年。

56. 黃哲永:《全臺文》,臺中市:文听閣圖書,2007 年。

57. 郭紹虞:《中國文學批評史》,臺北:五南出版社,1994 年。

58. 連橫:《臺灣通史》,臺灣文獻叢刊第二輯,臺北:眾文圖書公司,1994 年。

59. 張仁青:《唐詩采珍》,高雄:前程出版社,1991 年。

60. 張本政:《清實錄臺灣史資料專輯‧聖祖實錄》,福建人民出版社,1993 年。

61. 張廷玉:《明史》,臺北:鼎文書局,1982 年。

62. 張夢機:《古典詩的形式結構》,臺北:駱駝出版社,1997 年。

63. 脫脫等撰:《新校本宋史并附編三種》,臺北:鼎文書局,1983 年。

64. 彭國棟:《廣臺灣詩乘》,臺灣先賢詩文集彙刊,第二輯 2,臺北:龍文出版社,2009 年。

65. 楊倫:《杜詩鏡銓》,臺北:華正書局,1993 年。

66. 楊廷理：《知還書屋詩鈔》，臺灣歷史文獻叢刊，南投：臺灣省文獻委員會，1996 年。

67. 蔡先金：《孔子詩學研究》，濟南：齊魯書社，2006 年。

68. 劉向：《戰國策》，臺北：世界書局，1975 年

69. 劉昫：《舊唐書》，臺北：鼎文書局，1989 年。

70. 劉寧顏：《重修臺灣省通志》，南投：臺灣省文獻委員會，1994 年。

71. 鄭用錫：《北郭園全集》，臺灣先賢詩文集彙刊，第二輯 1.2.3，臺北：龍文出版社，1992 年。

72. 鄭用鑑著，詹雅能編校：《靜遠堂詩文鈔》，新竹市：新竹市政府，2001 年。

73. 潘朝陽：《明清臺灣儒學論》，臺北：臺灣學生書局，2001 年。

74. 薛紹元：《臺灣通志稿》，成文出版社，1983 年。

75. 賴子清：《臺灣詩醇前、後編》，臺北：臺灣先賢詩文集彙刊，第五輯 2，臺北：龍文出版社，2006 年。

76. 諸家：《臺灣輿地彙鈔》，臺北：臺灣大通出版社，臺灣文獻史料叢刊，1984 年。

77. 澤田總清原著，王鶴儀編譯：《中國韻文史》，臺北：臺灣商務印書館，1984 年。

78. 謝金鑾：《教諭語》，臺北：收藏於臺灣大學圖書館總館。為同治年間孤本，板存當時之山東省城后宰門文友堂。

79. 龔顯宗：《臺灣文學研究》，臺北：五南圖書公司，1998 年。

三、論 文（依作者姓氏筆劃順序排列）

（一）期刊學報論文

1. 吳榮富：〈台灣儒學教育與古典詩的發展〉，《第一屆臺灣儒學研究國際研討會論文集》，國立成功大學中國文學系，1997 年 6 月。

2. 林義正：〈李綱《易》說研究¾¾兼涉其《易》與華嚴》合轍論〉，《臺大文史哲學報》，2002 年 12 月。

3. 林耀潾：〈由《臺灣教育碑記》看臺灣儒學〉，《第一屆臺灣儒學研究國際研討會論文集》，國立成功大學中國文學系，1997 年 6 月。

4. 胡萬川：〈土地・命運・認同・——京官來臺灣敗地理傳說之探討〉，《臺灣文學研究學報》第 1 期，國家臺灣文學館，2005 年 10 月。

5. 莊萬壽：〈臺灣平埔族的儒化〉，《第一屆臺灣儒學研究國際研討會論文集》，國立成功大學中國文學系，1997 年 6 月。

6. 黃仲裹：〈孫元衡的家世〉，中國方志叢書，臺灣地區 90 臺北市，臺北文獻（四），第十、十一、十二期合刊，1965 年。

7. 許惠玟：〈清代臺灣詩中儒學傳承與文昌信仰的關係〉，《東海大學文學院學報》，2005 年 7 月。

8. 葉憲峻：〈清代臺灣儒學教育設施〉，《臺中師院學報》，1999 年 6 月。

9. 葉憲峻：〈清代臺灣儒學與孔廟之建置〉，《社會科教育研究》，2008 年 12 月。

10. 湯熙勇：〈清代臺灣教育研究之 1——巡臺御史清代臺灣的科舉教育的貢獻〉，《史聯雜誌》，1990 年 9 月。

11. 劉振雄：〈論臺北艋舺學海書院的儒學精神〉，《朝陽人文社會學刊》，2007 年 12 月。

（二）博碩士論文

1. 王惠琛：《清代台灣科舉制度的研究》，國立成功大學歷史語言研究所，碩士論文，民國 79 年 7 月。

2. 何宜倫：《清領時期臺灣族群衝突傳說研究》，國立花蓮教育大學民間文學研究所，碩士論文，民國 97 年 7 月。

3. 林孟輝：《清代臺灣學校教育與儒學教化研究》，國立成功大學中國文學研究所，碩士論文，民國 88 年 6 月。

4. 黃俊雄：《清代臺灣分類械鬥書寫之研究》，國立中正大學中國文學研究所，碩士論文，民國 97 年元月。

5. 葉憲峻：《清代臺灣教育之建置與發展》，中國文化大學史學研究所，博士論文，民國 92 年 6 月。

6. 楊添發：《陳維英及其文學研究》，私立銘傳大學應用語文研究所中國文學組，碩士論文，民國 95 年 2 月。

7. 謝崇耀：《日治時期臺灣詩話比較研究》，國立彰化師範大學國文研究所碩士論文，2005 年。

附錄　簡表五

【清廷在臺灣各府州縣廳所設置之儒學、書院、義學，及其沿革簡表】

時間＼地區	臺灣府	臺灣縣	鳳山縣	諸羅縣	彰化縣	淡水廳	新竹縣	澎湖廳	噶瑪蘭廳	恆春縣	苗栗縣	雲林縣	臺東州	備註
康熙23年（1684）	儒學 在寧南坊周昌蔣毓英修	儒學 在東安坊沈朝聘始建	儒學 在興隆莊楊芳聲始建											根據《高志》與《周志》
康熙25年（1686）				儒學 在善化里周昌粗創										
康熙29年（1690）	鎮北坊書院 蔣毓英建	儒學 王兆陞重修												
康熙31年（1692）	彌陀室書院 王兆陞設													

−409−

康熙32年（1693）	竹溪書院 吳國柱設										
康熙34年（1695）	鎮北坊書院 高拱乾建		儒學 粗建地基不穩旋拆								
康熙37年（1698	西定坊書院 常光裕建										
康熙39年（1700）	儒學 王之麟始建明倫堂										
康熙42年（1703）		儒學 陳璸始建明倫堂									
康熙43年（1704）	西定坊書院 王之麟建 崇文書院 即府義學衛臺揆建	儒學 王士俊完成 義學 在東安坊額曰崇文書院	儒學 宋永清修建								
康熙44年（1705）	東安坊書院 始建										
康熙45年（1706）	義學 衛臺揆置	義學 王士俊置	儒學 孫元衡建 義學 孫元衡置								

康熙47年（1708）		儒學 張宏疊修	儒學 宋永清增建							
康熙48年（1709）	西定坊書院 王敏政建	儒學 張宏疊修旋圮								
康熙49年（1710）	儒學 陳璸修建	儒學 陳璸修建	屏山書院 宋永清建 義學 宋永清建							
康熙51年（1712）	儒學 陳璸建朱子祠									
康熙52年（1713）	儒學 陳璸建文昌閣									
康熙54年（1715）	儒學 陳璸左創官廳	儒學 陳璸修建	儒學 周鍾瑄重修 義學 周鍾瑄更建							
康熙57年（1718）	儒學 王珍重修	儒學 颶風幾毀								
康熙58年（1719）	儒學 梁文煊改建	儒學 王禮重修	儒學 李丕煜重建							
康熙59年（1720）	海東書院 梁文煊建	儒學 重修完成								

雍正元年 （1723）	儒學 詔以啓聖祠爲崇聖祠	儒學 周鍾瑄重修								
雍正4年 （1726）	奎樓書院 吳昌祚創建		義學 蕭震移建城東廂內		儒學 張鎬建					
雍正7年 （1729）		正音書院 奉文設立	正音書院 奉文設立	正音書院 奉文設立						
雍正8年 （1730）				儒學 劉良璧等重修						
雍正12年 （1734）		儒學 貢生陳應魁捐修								
乾隆2年 （1737）			儒學 施世榜等捐修							
乾隆4年 （1739）	海東書院 單德謨復爲書院									
乾隆8年 （1742）		儒學 張元華等重修								
乾隆10年 （1745）	儒學崇文書院皆莊年修			白沙書院 曾日瑛建						
乾隆11年 （1746）			儒學義學皆呂鍾琇增建							

年代											
乾隆12年（1747）			鳳閣書院 設立人不詳								
乾隆14年（1749）	儒學 侯世輝改建	儒學 朱升元重葺									
乾隆15年（1750）	海東書院 魯鼎梅改建	儒學 侯世輝整葺									
乾隆16年（1751）			義學 吳開福建圍牆		儒學 程運青重修						
乾隆17年（1752）			儒學 吳士元重建								
乾隆18年（1753）				儒學 徐德俊新建	儒學 王鶚重修 龍門書院 鄭海生等建						
乾隆22年（1757）			義學 丁居信重修								
乾隆24年（1759）				玉峰書院 李倓改建	儒學 白沙書院 皆張世珍重修						
乾隆27年（1762）	海東書院 覺羅四明改建		義學 王瑛增重修		儒學 胡邦翰重修						

乾隆28年 （1763）				明志 書院 胡邦 翰改 建爲 書院					
乾隆29年 （1764）	南湖 書院 蔣允 焄建								
乾隆30年 （1765）	海東 書院 蔣允 焄建								
乾隆31年 （1766）					文石 書院 胡建 偉建				
乾隆40年 （1775）		儒學 陳名 標等 合建	儒學 邑紳 士倡 建						
乾隆40年 （1775）	儒學 蔣元 樞修								
乾隆46年 （1781）			奎壁 書院 趙家 創建	明志 書院 成履 泰移 建					
乾隆51年 （1786）			儒學 毀於 林爽 文之 役	儒學 白沙 書院 皆毀 於林 爽文 之役					
乾隆58年 （1793）	儒學 黏繼 任增 修								
嘉慶2年 （1797）	儒學 徙土 地祠 官廳 右側		儒學 鳩金 復舉	儒學 鄭士 謨增 修					

嘉慶 8 年（1803）	儒學 郭紹芳重建			螺青書院 設立人不詳						
嘉慶 9 年（1804）		儒學 薛志亮等捐修								
嘉慶 12 年（1807）		儒學 張姓擴充								
嘉慶 15 年（1810）		引心書院 張青峰等建								
嘉慶 16 年（1811）				儒學 主靜書院 皆楊桂森建						
嘉慶 17 年（1812）		萃文書院 設立人不詳		儒學 王松修建		仰山書院 楊廷理創建				
嘉慶 18 年（1813）			儒學 宋廷枋等人增建隔年完竣							
嘉慶 19 年（1814）		鳳儀書院 吳性誠建		振文書院 廖澄河籌建						
嘉慶 20 年（1815）		屏東書院 郭萃等建								

嘉慶21年 （1816）				儒學 白沙 書院 皆吳 性誠 增修	儒學 奏准 設立						
嘉慶22年 （1817）					儒學 張學 溥興 造	儒學 張學 溥興 造					
嘉慶23年 （1818）	崇文 書院 鄭佐 廷改 建										
嘉慶25年 （1820）	儒學 吳春 芳修										
道光元年 （1821）							仰山 書院 姚瑩 整頓 章程				
道光3年 （1823）				興賢 書院 曾拔 萃建							
道光4年 （1824）				儒學 蔡克 金刻 臥碑 文開 書院 鄧傳 安建							
道光5年 （1825）							仰山 書院 呂志 恆題				
道光7年 （1827）					文石 書院 孫得 發等 倡建						

年代													
道光9年（1829）			羅山書院 王朝清等籌建		儒學 李慎彝等增建	儒學 李慎彝等增建	文石書院改建魁星樓						
道光10年（1830）				儒學 託克通阿等修				仰山書院 薩廉重修					
道光11年（1831）				藍田書院 朱懋等建	儒學 林祥雲補建	儒學 林祥雲補建							
道光15年（1835）			登雲書院 邑人興建										
道光17年（1837）					儒學 婁雲重修	儒學 婁雲重修							
道光21年（1841）		朝陽書院 設立人不詳		文英書院 呂世芳父子建									
道光23年（1843）				修文書院 詹錫齡建	學海書院 曹謹續成								
道光25年（1845）				鰲文書院 設立人不詳									
道光27年（1847）				奎文書院 黃一章建 登瀛書院 設立人不詳									
咸豐元年（1851）	玉山書院 邑人創建												

年代								
咸豐 7 年（1857）			道東書院 設立人不詳					
同治 5 年（1866）	海東書院施士安捐水							
同治 6 年（1867）			義塾 嚴金清設 15 所					
同治 9 年（1870）				義塾 增設二所				
同治 10 年（1871）				義塾 增設四所				
同治 12 年（1873）		義學 李□設立						板橋大觀義學 莊正設立
光緒元年（1875）		儒學 葉滋東建 番社義學 夏憲綸設			文石書院蔡玉成修建	義學（塾） 周有基先後設立 15 處		
光緒 2 年（1876）					文石書院 蔡玉成修建		義學 陳適均等議建	正心書院 設立於日月潭
光緒 3 年（1877）		雪峰書院 藍登輝等建						

光緒6年 （1880）		屏東 書院 鄭贊 祿修 朝陽 書院 李政 純修								登瀛書院 設立於臺 北府治陳 星聚建
光緒8年 （1882）										明新書院 在臺灣府 治陳長江 籌建
光緒10年 （1884）							義塾 羅建 祥裁 撤舊 塾改 為官 塾			
光緒11年 （1885）							義塾 武頌 揚請 添設 總義 塾一 處			
光緒12年 （1886）	蓬萊 書院 原為 引心 書院 沈受 謙改 建									
光緒13年 （1887）		義學 有五 處					義塾 程邦 基請 停止 月課			
光緒14年 （1888）							義塾 高晉 翰請 復課			
光緒15年 （1889）					義塾 裁成 二所			英才 書院 謝維 岳建		宏文書院 在臺灣府 治林朝棟 等建

光緒16年（1890）				礦溪書院　設立人不詳			義塾　宋維釗設塾一處番籍閩籍九塾粵籍六塾				
光緒18年（1892）							義塾　陳文緯手訂塾規				
光緒19年（1893）					義塾　併爲一所		義塾　高晉翰諭示五條			義塾　原設五處呂兆棠添三處	明道書院　在臺北府治沈應奎建　崇基書院　在基隆廳治江星輝等建